Conçu et produit par :
Editions Didier Carpentier
22 rue d'Aumale 75009 Paris
www.editions-carpentier.fr
editions@editions-carpentier.fr
tél : 01 48 78 00 72 - fax : 01 48 78 86 25

Direction éditoriale : Alexis Faja
Coordination éditoriale : Blandine Pouzin
Photos : Max Yang (photos de Venise), Joël Bachelet
Maquette : Idbleu

Droits réservés (copyright) textes et photos
Copyright ©2013 Editions Didier Carpentier
ISBN : 978-2-84167-855-6
Dépôt Légal : Novembre 2013

Imprimé en UE – Novembre 2013

Merci d'avoir acheté ce livre!

Vous pouvez consulter notre catalogue sur notre site
www.editions-carpentier.fr ou le recevoir sur simple demande.

Consommez local, allez chez votre libraire.

Sommaire

Table of contents

« *Le réseau complexe des lignes apparaissait petit à petit :*

Celles qui vivent dans le menu peuple des poussières et des points, traversant des mies, contournant

des cellules, des champs de cellules, ou tournant, tournant en spirales pour fasciner, ou pour retrouver

ce qui a fasciné, ombellifères et agates. Celles qui se promènent. – Les premières qu'on vît ainsi,

en Occident, se promener. »

Henri Michaux

Histoires et inspirations
de la dentelle de Venise
Brief history

'est à Venise, alors à son apogée à la fin du XVème siècle, que serait apparue la création d'un textile somptueux selon des points anciens non répertoriés de fils issus du commerce alors florissant de la cité des Doges.

La dentelle de cette époque était probablement une création *de novo* étant donné la créativité marchande, culturelle et sociale de cette époque. Il s'agissait d'une invention, ou d'un perfectionnement majeur, à partir du point coupé nommé *reticello* (point en réseaux), et du point en l'air nommé *punto in aria*. Ces points étaient connus depuis la Renaissance et provenaient de l'art de la broderie. Cependant, les origines réelles de ces points sembleraient remonter à encore plus loin, à l'Empire byzantin et au Moyen-Orient. C'est l'étude des mosaïques byzantines montrant les costumes de l'époque qui atteste l'existence des ornements en broderie ou en dentelle. Ces mosaïques sont toujours visibles à l'intérieur de la basilique Saint-Marc ou de l'abside de Santa Maria Assunta sur l'île de Torcello. Une des plus anciennes mosaïques montre la Vierge portant un manteau noir frangé d'or dont la réalisation technique paraît un compromis entre la broderie classique et une forme de *reticello*.

Ainsi, au confluent du monde de l'Orient et de l'Occident de l'après-Renaissance, est apparu un beau point à l'aiguille réalisé par les femmes aisées des palais vénitiens qui pouvaient s'inspirer des merveilleux décors qui les entouraient et des tout premiers livres de modèles publiés à leur intention. C'était une activité pour les dames de l'aristocratie vénitienne, qui ne demandait pas d'installation complexe et pour laquelle on pouvait passer le temps souhaité, tout en réalisant des ouvrages spectaculaires pour les plus expertes d'entre elles. Ces ouvrages ont connu un succès grandissant, car ils embellissaient considérablement les vêtements de l'époque.

It is said that the city of Venice, at the height of its activity towards the end of the XV century, saw the original creation of a sumptuous fabric made from traditional stitches of unknown origin, using thread procured through the flourishing commercial exchanges that took place in the city of the Doges at the time.

Given the prevailing commercial, cultural and social creativity, it is most likely that the lace from this period was a novelty. It was thought to be an innovation, or at least a major enhancement to what was referred to as point coupé or reticello, and open lace or punto in aria (high raised stitch). These stitches had been known since the Renaissance via the art of embroidery. However, the true origin of these stitches seems to date back even further, to the Byzantine empire and the Middle-East.

It was the study of Byzantine mosaics that uncovered the use of embroidery and needle lace to decorate garments at that time. These mosaics can still be seen inside the Basilica of Saint-Marc, or in the apse of Santa Maria Assunta on the island of Torcello.

One of the oldest mosaics portrays the Virgin Mary wearing a black coat with golden trimmings whose technique seems to be a compromise between ordinary embroidery and a form of reticello.

This is how, where East and West merged in post-Renaissance Venice, this magnificent needle point lace saw the day, executed by wealthy aristocratic ladies living in their Venetian palaces, inspired by both their wonderful surroundings and the very first published manuals on the subject. This activity was perfectly suited to the aristocratic Venetian ladies, as it needed no complex apparatus and they had no time constraints, so that the output, for the more talented ones, could be truly spectacular.

This lace became increasingly popular since it considerably embellished the existing garments of the time.

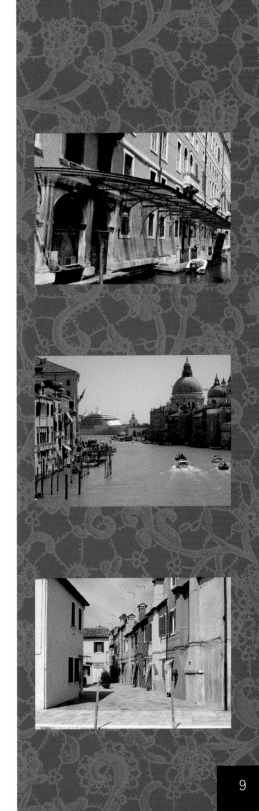

Ainsi la demande a rapidement augmenté et est devenue supérieure à l'offre. Des couvents, des ateliers de jeunes filles déshéritées ou d'orphelines dans la cité des Doges se sont alors consacrés à la confection des ouvrages de dentelle à l'aiguille, selon des rémunérations fort modestes pour les ouvrières, tandis que ces dentelles étaient vendues à prix d'or. L'embellissement du costume par la dentelle (fuseaux et aiguille) magnifiait les décolletés et les poignets et décorait des petits mouchoirs précieux brodés et tenus à la main que l'on retrouve dans les tableaux des puissants du monde d'alors. Au début du XVIIème siècle, la dentelle, et notamment le gros point de Venise, devient l'accessoire dominant de la mode des riches ou des gens de pouvoir.

Gros point de Venise
Venice Gros point

Le gros point de Venise est assez spectaculaire, multipliant comme en fractales des arabesques, de sinueuses volutes fleuries de grenades, de pivoines, de glycines en

Gros point de Venise
Venice Gros point

Carton reprèsentant du gros point de Venise
Pattern for Venice gros point

apesanteur dans un improbable jardin blanc immaculé. C'est une dentelle d'alternance asymétrique de vides et de reliefs où de minuscules rosaces relient d'imposants motifs sculptés.

Au fil du temps, ce travail est devenu de plus en plus coûteux et pour limiter les dépenses, Colbert, ministre de Louis XIV, organisa le transfert en 1655 de dentellières vénitiennes pour enseigner les secrets des points vénitiens aux brodeuses françaises, en particulier dans la région d'Alençon. Ceci explique une certaine parenté des points

Consequently, demand rose rapidly and began to exceed supply. Convents, workshops employing orphans and young girls from poor families were set up, devoted entirely to making needle point lace, wages being all the lower than the lace was sold dearly. The embellishment that lace provided a garment (be it bobbin lace or needle lace) enhanced the beauty of plunging necklines, cuffs, or exquisite embroidered handkerchiefs as can be seen in the portraits of the influential people of the time. At the beginning of the XVII century, lace and more specifically Gros Point de Venise lace became the fashionable status symbol for the rich and influential. This Gros Point de Venise lace was rather spectacular, evocative of fractals generating an infinity of arabesques, with scrolling floral blossoms of pomegranates, peonies, wisteria in the weightless atmosphere of an unreal white immaculate garden. This type of lace alternated asymmetrical areas of open lace and high relief where minute roses were connected to heavier sculpted motifs.

This needle point lace became ever more costly and to limit expenses in 1655, Colbert, a famous finance minister during the reign of French King Louis XIV, organized the transfer of Venetian lace makers to Alençon (Normandy) in order to teach their French counterparts the craft. This explains some of the similarities between Alençon needle lace and Venice needle lace, notwithstanding the unique specifics that differentiate them and make each one equally

d'Alençon et de Venise, avec toutefois des spécificités qui les rendent très différents et aussi beaux l'un que l'autre. Le point d'Alençon a été reconnu en 2010 patrimoine immatériel de l'humanité par l'Unesco.

Le point d'Alençon permet de simplifier les dessins, d'alléger le textile, de miniaturiser, d'affiner et de sublimer les motifs. Il en résulte un produit surprenant de finesse, de dextérité, et de délicatesse dont le succès a été comparable à celui du point de Venise.

En réponse à cette sublimation de la légèreté, les dentellières de la République sérénissime allégèrent également leur travail et proposèrent le « point de rose » et le « point de neige », véritables prouesses techniques et contrôle absolu du fil. Il s'agissait de pièces dentellières constituées de proliférations de fleurs imaginaires reliées par une infinité de minuscules cristaux perlés donnant aux pièces les allures d'une étonnante joaillerie souple. Ces dentelles étaient, et sont encore aujourd'hui, classées parmi les plus rares et les plus chères. Dans certains ouvrages de référence, on les retrouve sous le nom de « perles de Venise ».

Point d'Alençon
Alençon needle point lace

Point de rose ou rosaline
Rose point or rosaline

Les petites roses qui les composent étaient alors qualifiées d'« affinité exquise » ou de « fleurs volantes » en raison de la technique *in aria* (en l'air).

L'ensemble des rinceaux et des fleurs était comparable à des branches de madrépores, de coraux ou d'algues sous-marines rappelant les fonds lagunaires sur lesquels repose Venise.

beautiful in its own right. In 2010, Alençon point lace was recognized as a Masterpiece of the UNESCO Intangible Cultural Heritage.

The Alençon point allows the elaboration of simpler designs, lighter fabrics, miniaturization, more refined and prodigious motifs. The result is a product of remarkable finesse, skill and sophistication whose immediate success among the ruling class was comparable to that of Venice point lace.

In response to this enhanced delicacy, the lace makers of the Serenissima in turn went on to lighten their work with less heavy raised material and more minute detail and offered rose point and point de neige alternatives, that required a high level of technical prowess and skillful thread control. They depicted a proliferation of imaginary flowers connected by an infinity of minuscule pearled crystals that made them resemble incredible pieces of flexible jewelry. These lace pieces were, and still are today, ranked as the most precious and rare, and most expensive too. In some reference catalogs and books they are called « Venice pearls ». The small rose motifs that made up the pieces were referred to as «exquisite affinity» or «airial flowers» due to the « in aria » (in air) technique used for their creation.

The scrolling foliage and flowers were reminiscent of the live coral, or the seaweed found on the bed of the lagoon on which the Serenissima lies.

Le point de neige, quant à lui, est le plus exubérant de tous et se caractérise par une miniaturisation des motifs qui exacerbe tous les détails avec une prolifération de micro-motifs qui retiennent l'attention. Ces points de Venise (point de rose et point de neige) correspondent donc au maximum de complexité, tant dans le travail que pour le savoir-faire.

Certains ont été reproduits au XIXème siècle pour des commandes royales et nous sont parvenus en très bon état. L'Ecole de dentelle de Burano fut créée et inaugurée en 1872 sous le haut patronage de la princesse Marguerite de Savoie (1851-1926). Elle devint Reine d'Italie et protectrice des Arts et des Lettres. On doit également à la Reine Marguerite la pizza Margarita qui fut créée en son honneur aux couleurs de l'Italie, vert, blanc et rouge (basilic, mozzarella, tomate)! L'Ecole de dentelle de Burano a maintenu la tradition des dentelles d'exception tout en essayant de s'adapter au marché qui s'est amenuisé au fil des époques. De plus, il n'y a plus jamais eu de tentative de porter le travail encore plus loin qu'il n'était arrivé à son apogée des XVIIème et XVIIIème siècles. Le travail s'est arrêté là, avec des motifs aux goûts des siècles passés restant figés à jamais, tant dans leur évolution stylistique que dans leur création technique. Le Musée des dentelles de Burano est situé dans les locaux historiques de cette école, à l'intérieur de deux beaux palais gothiques.

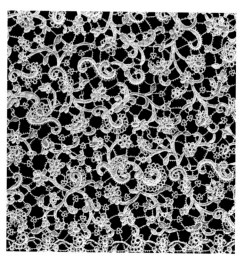

Point de neige
Snow point de neige

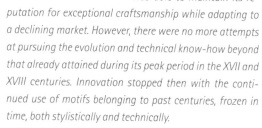

As for the point de neige, it was the most lavish of all and depicted a miniaturization of motifs with magnified detail so that the proliferation of micro-motifs captures the attention. It is generally agreed that these Venice needle points (rose point, and point de neige) are the most complex to accomplish, both in terms of know-how and execution skill. Some of these were subsequently reproduced in the XIX century for royal events and can still be admired today having withstood the test of time very well. The Burano School of Lace was founded and inaugurated in 1872 under the high patronage of Princess Margherita of Savoy (1851-1926). She became queen of Italy and was known for encouraging the arts. It is also to Queen Margherita that we owe pizza Margherita, which was created in her honor to portray the colors of Italy, green, white and red (basil, mozzarella, tomato)! The Burano School of Lace was able to maintain its reputation for exceptional craftsmanship while adapting to a declining market. However, there were no more attempts at pursuing the evolution and technical know-how beyond that already attained during its peak period in the XVII and XVIII centuries. Innovation stopped then with the continued use of motifs belonging to past centuries, frozen in time, both stylistically and technically.

The Burano Lace Museum is located in the former premises of this historical school, inside the two beautiful Gothic palaces.

Ce musée récemment rénové offre un aperçu complet de l'histoire des dentelles ainsi que des démonstrations dentellières réalisées par les meilleures dentellières de l'île, elles-mêmes anciennes élèves de l'école. Ainsi la tradition est assurée dans les meilleures conditions et permet de sauvegarder ce patrimoine artistique dans des locaux d'exception.

Dans cet ouvrage, après une présentation des principaux points, nous verrons des modèles plus perfectionnés issus de l'observation des exemples anciens. Il sera ensuite proposé une évolution moderne et une interprétation des modèles, notamment en couleur, permettant de conserver la technique et de tenter d'autres expériences plus contemporaines. L'utilisation de la couleur est nouvelle dans ce type de dentelle qui est classiquement d'un blanc immaculé. L'utilisation de fils de couleur, souvent dans des tons dégradés, offre une dimension nouvelle aux fleurs et motifs qui sont à la base de cette dentelle. Cela renforce les contrastes entre vides et pleins, lumière et ombre, simple et difficile, tout en éclairant différemment l'intérêt de ces ouvrages.

This recently renovated museum offers a complete overview of the history of lace making as well as live demonstrations by the local lace makers, some of whom were students at the School of Lace. In this way, this tradition is well perpetuated preserving this outstanding artistic heritage on this exceptional site.

In this book, after presenting the various stitches, we will examine some of the more sophisticated patterns by analyzing older specimens. We will then describe a more modern approach based on interpreting patterns, namely as far as the use of color is concerned, which, while pursuing the technical know-how introduces a contemporary element. The use of color is new in this type of lacework that by tradition is immaculately white.

The introduction of color thread, mostly in subtle shades, introduces a new dimension to the flowers and motifs that make up the lacework.

This serves to highlight the contrasts between the voids and fills, light and shade, simple and complex, thus giving the pieces a different perspective.

Musée de la dentelle de Burano
Lace museum in Burano

Inspirations

Venise est une ville qui peut donner de belles inspirations pour réaliser des modèles de dentelles. L'architecture, l'art et la culture se prêtent facilement à toutes sortes d'interprétations.

En italien, dentelle se dit *merletto*. Or, ce mot est repris du vocabulaire architectural et désigne les structures décoratives au sommet des palais nommées *merlatura*, ce qui peut être traduit par « créneaux de pierre ». Tout visiteur s'apercevra aisément qu'il existe de réelles correspondances entre les interprétations dentellières et l'architecture, l'art, et même « l'air du temps » à Venise. L'essentiel est de se promener et de découvrir la ville de manière improvisée lors de flâneries dans le labyrinthe vénitien. La présence ubiquitaire de l'eau donne un sentiment de flou et d'instabilité tout à fait unique à Venise.

A cela s'ajoute la couleur particulière de la lumière où terre et mer se rejoignent et qui est, elle aussi, une source d'inspiration inépuisable. Dans la ville, il existe de nombreux détails architecturaux qui rappellent la dentelle, notamment des ferronneries d'art, des décorations de fenêtres ou des poignées de porte.

Certains motifs anciens reproduisent des vues typiques comme cette interprétation du pont du Rialto selon un motif traditionnel ancien des dentellières de Burano.

Influences

It is easy to see how the town of Venice influenced the design of lace patterns. Its architecture, art and culture lend themselves to all kinds of interpretations. In Italian, lace is called *merletto*.

This word is taken from the vocabulary of architecture and designates the decorative structures at the top of the palaces known as *merlatura*, which can be translated by « stone crenellations ». Visitors will not fail to notice that there is a real correspondence between the lace designs and the architecture, art, and even the general Venetian environment. Best way to discover the town is spontaneously while rambling through the Venetian labyrinth. The omnipresent water element provides a sensation of ambiguity and instability that is unique to Venice. Added to which, the very specific hues where sea and land meet, also become a source of infinite inspiration.

In the town, numerous architectural details recall lacework patterns, namely, the wrought-iron structures, window decorations and door handles.

Some of the older motifs depict typical sites such as the portrayal of the Rialto bridge taken from a traditional antique motif used by the Burano lace makers.

Détails architecturaux de ferronnerie
Architectural details in iron art work

Détail d'une poignée de porte
Door knobs details

Détail d'une fenêtre en médaillon
Window detail in a medallion

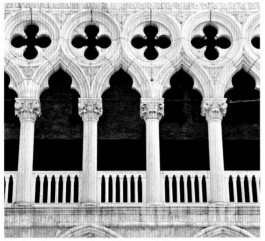

Motifs architecturaux typiques foliages et polyflores
Typical architectural design with foliages and polyflores

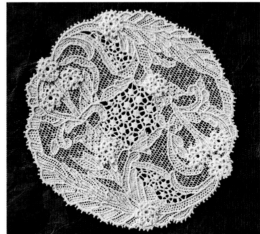

Interprétation de foliages et polyflores architecturaux par Mme Olga à Burano
Lace interpretation of foliage and polyfore in Venice Needle Lace (from Mme Olga in Burano)

Pont du Rialto
Rialto Bridge

Interprétation du pont du Rialto et d'une gondole
(réalisation Mme Meri selon un dessin ancien de l'Ecole de dentelle de Burano)
Rialto Bridge in Venice and part of gondola : lace interpretation by Burano lacemakers (Ms Meri)

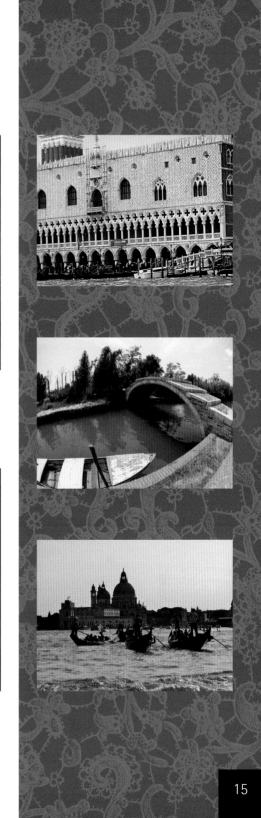

Dentelle sur l'île de Burano

Burano est une île de pêcheurs qui a connu un passé glorieux en raison de sa proximité avec l'île de Torcello où a eu lieu l'installation des premiers Vénitiens avant qu'ils ne partent, au XIIème siècle, vers le Rialto, centre de la Venise actuelle. Pour aller sur l'île de Burano, prendre le vaporetto LN (Laguna Norte) qui part de Fundamente Nuove au nord de Venise.

Il est possible d'acheter de petits exemplaires de dentelle de Venise, comme les papillons ci-dessous (compter un minimum de 100 euros pour une pièce de 10 cm de diamètre environ). Les vraies dentelles sont reconnaissables car elles sont assez semblables entre elles (reposant sur le même patron de l'Ecole de Burano) et correspondent aux modèles que font les dentellières rencontrées sur l'île.

Cependant, il est rare de trouver des dentelles anciennes originales car ils font partie du patrimoine et ne sont pas en vente. Il est important, pour faire son choix et être sûr de la qualité de la dentelle, de bien vérifier qu'il y a a plusieurs points différents, et que les motifs sont réalisés avec finesse.

En effet, plus le travail est fin, plus il est original, plus il a de valeur. Pour voir des pièces de qualité et se renseigner sur l'histoire de la dentelle de Venise, il faut aller au Musée de la dentelle de Burano *(voir adresse et site en fin de livre)*.

Par jour de beau temps, on peut voir les dentellières en train de travailler leurs dentelles sur le pas de la porte des maisons ou des magasins de dentelle sur la Via Galuppi, artère centrale de l'île de Burano.

Elles donnent parfois des explications aux curieux (en dialecte vénitien, difficile à comprendre si vous ne maîtrisez pas parfaitement l'italien). Elles sont aussi présentes dans une salle du Musée de la dentelle dédiée aux démonstrations dentellières.

Lace on the Island of Burano

Burano is a fishermen's island with a glorious past related to its proximity with the island of Torcello where the first Venetians settled, before leaving for the Rialto area in the XII Century, which is the center of modern day Venice.

One can reach Burano by taking the vaporetto LN (Laguna Norte) that departs from Fundamente Nuove in the north of Venice. Small pieces of lace can be purchased, like the butterfly one below, (typically this will cost around 100 euro for a 10 cm diameter piece of real Burano lace). Real lace can be distinguished thanks to the similarity of the patterns that are used by the lace maker's during their live demonstrations at the Lace Museum (based on the Burano School patterns). It is nevertheless quite uncommon to find original antique pieces as, being national heritage belongings, they are not up for sale. In order to pick and ascertain the quality of a lace piece, one must be guided by the number of different stitches used as well as the finesse with which the motifs are executed.

Indeed, the more the piece is finely executed, the more original, and the more valuable it becomes. A visit to the Burano Lace Museum is a must for anyone wanting to see lace masterpieces and learn about the history of Venetian lace making (see address and web site at the back of the book). When the weather permits, it is not uncommon to see the lace makers working on the doorstep of their homes or lace shops on the Via Galuppi, which is Burano's main street. When questioned, they may stop to explain some of the delicate intricacies of their lace making, (in their typical Venetian dialect which is quite different to the Italian language). These same ladies are the ones that demonstrate their craft at the Lace Museum.

Via Galuppi à Burano
Via Galuppi in Burano

Motif intéressant de pomme, poire et raisins réalisé par Mme Olga.
Le fond en réseau serré est réalisé au point de Burano.
Interesting pattern : apple, pear, grapes (Mme Olga)
The ground is in Burano point lace

Choix de dentelles à Burano - Lace selection in Burano

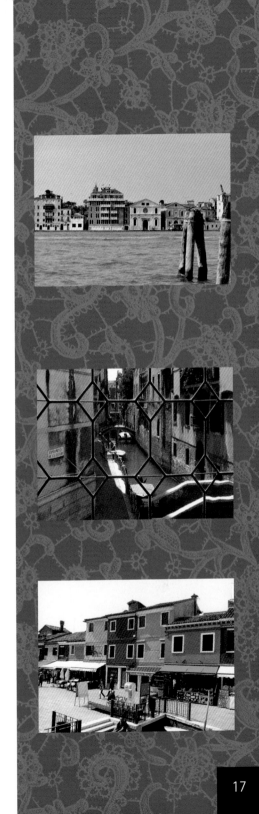

La technique - Technique

La dentelle de Venise nécessite un matériel assez simple.
Les points qui la composent sont aisément reconnaissables et reposent tous
sur « la bride tortillée », ou point sacola.

La dentelle de Venise est composée de quatre structures essentielles qui permettent de la reconnaître
très facilement : la guipure (venant du mot guirlande), le point de Venise à proprement parler,
le point de Burano, et des ornements ajoutés en surface de la dentelle. Le tout donne un aspect
à la fois épais et aérien, fin et solide, tout en contraste.

Very simple materials are needed to make Venetian lace.

*The stitches that are used for this type of lace are easily identified and rely on the same base:
the twisted buttonhole or sacola stitch.*

*Venetian needle lace features four essential structures which are also easily recognizable:
guipure (from the French word « guirlande » or ribbon), Venice point, Burano point, and surface
decorations added on top of the lace when it is almost finished.*

The end product is an illustration of contrasts between thick and light, fine and solid.

Le matériel nécessaire | Required Supplies

- **Fils pour dentelle** : du coton DMC spécial dentelle, des fils de couleur pour dentelle, tous les fils sont possibles ! *(voir adresses en fin de livre)*. Traditionnellement, la dentelle de Venise est réalisée uniquement au fil blanc.
  Aujourd'hui, on peut plus facilement trouver des fils aux couleurs variées pour permettre davantage de liberté. C'est un choix original qui se prête bien aux modèles contemporains ou à l'interprétation de modèles anciens, car cela permet de rehausser certains points et d'obtenir une dentelle originale et unique.

- **Fil DMC câblé pour tissu épais n°40**
  pour la trace (fil double) et pour fixer la trace sur l'épaisseur du millefeuille. *(voir explications page 22)*

- **Des aiguilles adaptées à la taille du fil,**
  aiguille n° 8 pour le fil n°40.

- **1 rectangle de tissu en coton**

- **Deux feuilles de papier** (kraft ou autre)

- **1 feuille de plastique transparent**

- **Un tombolo** (facultatif). Les dentellières de Venise emploient le tombolo, contrairement aux dentellières d'Alençon qui réalisent l'ensemble de l'ouvrage en le tenant à la main, sans aucun support.

- **Machine à coudre** (facultatif) Pour coudre plus rapidement les contours du dessin au point droit (la trace). *(voir explications page 22)*

- *Lace thread:* Special dentelles by DMC® cotton thread, special color thread for lace, but all types of thread can be used (please see addresses at end of book). Traditionally, Venetian lace is made with white thread only.
  Nowadays however, different color threads are available and provide greater freedom. It is a choice that lends itself to contemporary patterns or to a re-interpretation of antique ones, as the use of color highlights the craftsmanship and creates original and unique pieces.

- *DMC thread corded for strong fabric n°40* for the outline (double folded thread) and to tack the outline design through the multiple layers (see explanation page 22).

- *Needles adapted to thread,* (needle n° 8 for thread n° 40)

- *Cotton backing material*

- *Paper (2 sheets of Kraft or other paper)*

- *Transparent plastic film*

- *Needle lace pillow (tombolo) - optional.* Venetian lace makers use a tombolo, while for Alençon lace a pillow is not used, the lace being held in the hand, without any additional support

- *Sewing machine (optional) to stitch all design contours with straight stitch through the multiple layers (see explanation page 22).*

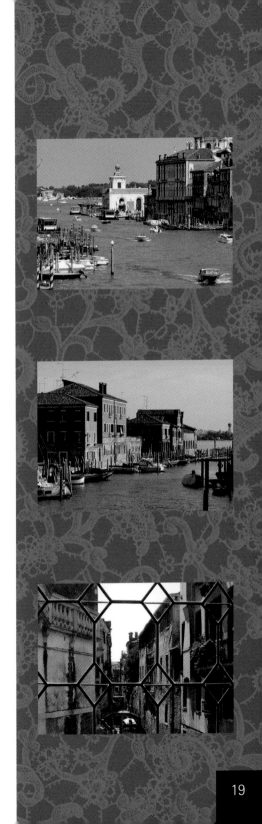

Comment réaliser une dentelle de Venise ?

On peut distinguer quatre étapes pour réaliser une dentelle de Venise à partir du dessin jusqu'à l'élimination du support permettant de libérer la dentelle et de voir toute sa transparence.

1/Matériel et préparation du dessin

2/Mise en place de la trace

3/Choix et réalisation des différents points

4/Libérer la dentelle de son support

How is Venetian lace made ?

Four main steps are required to create Venetian needle lace, ranging from the initial design until the freeing of the backing material from the finished lace piece.

1. Supplies and pattern outline

2. Couching the outline

3. Selecting and executing the stitches

4. Releasing the lace from the backing material

1/ Matériel et préparation de la trace

- Le tombolo

Il y a deux écoles : avec ou sans utilisation du tombolo (coussin pour maintenir la dentelle en cours de réalisation). La dentelle d'Alençon est faite sans métier, la dentelle en cours de réalisation est simplement tenue dans la main gauche, pendant que la main droite tient le fil pour travailler (inversement pour les gauchers). Pour la dentelle de Venise, l'utilisation d'un tombolo est très répandue comme on le voit encore aujourd'hui lors des démonstrations dentellières. Il permet de libérer les mains, car le travail est fixé sur un support.

Pour confectionner un tombolo, il suffit de se procurer un demi-traversin bien ferme (au besoin le rembourrer avec des copeaux de mousse supplémentaires).

Tombolo et murello sur lequel est fixé le millefeuille
Tombolo and murello on which is attached multilayer support

Il faut ensuite se procurer un murello (un rouleau à pâtisserie en bois à scier selon la longueur du demi-traversin). L'ensemble tombolo et murello est maintenu en place par une enveloppe de tissu qui rapproche les deux éléments. Le millefeuille comprenant le dessin de la dentelle est ensuite simplement épinglé sur cette enveloppe de tissu.

L'ensemble tombolo et murello permettent de faire levier pour bien fixer les différents points sur la trace *(voir photo).*

1. Supplies and pattern outline

- Tombolo or lace pillow

Two methods co-exist: with or without the use of a tombolo (special pillow to maintain the lace in place). Alençon lace is made without a pillow, the lace is simply held in the left hand while the right hand holds the working thread (and vice versa for left-handed workers). For Venetian needle lace, the use of a tombolo is very widespread as still seen today during lace making demonstrations. It frees up both hands as the work is tacked to the tombolo. One can easily make a tombolo by using half of a firm bolster (adding extra foam for firmness if needed). In addition to the tombolo, a murello is needed (this is a wooden pastry roll whose length must be adapted to the size of the bolster).

Both tombolo and murello will then be closely held together by a fabric wrapping. The lace piece is then simply pinned to the fabric.

The tombolo & murello combination provide the leverage needed to secure the outline properly (see photo).

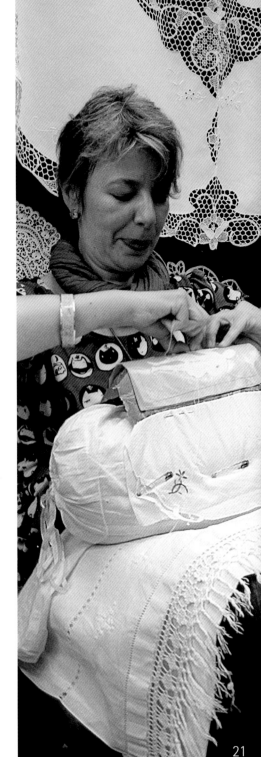

Une fois le tombolo prêt, il faut rassembler le matériel suivant :
- Le patron dessiné au crayon sur papier blanc
- Une feuille en plastique transparent de couleur, sur la photo ci-dessous, il est en vert *(en vente sur les sites de dentelle, voir adresses en fin de livre)*
- Une feuille de papier kraft A4 pliée en deux (ou une feuille de papier usuel)
- Un morceau de tissu en coton pour le dos du travail
- Fils : coton DMC spécial dentelles, fil DMC n°40 en double (pour les reliefs)
- Aiguille n° 8

Once the tombolo is ready, the following supplies are required:
- Pencil drawn pattern on white paper
- A colored sheet of plastic transparent film (available from lace sites, see addresses at end of book)
- An A4 sheet of brown or Kraft paper (folded in 2) - plain white paper will do too
- Cotton backing fabric
- Thread: special dentelles cotton by DMC®, DMC n°40 double thread (for raised work)
- Needle n° 8

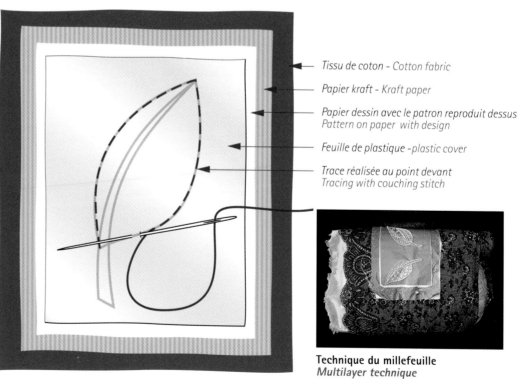

Tissu de coton - *Cotton fabric*

Papier kraft - *Kraft paper*

Papier dessin avec le patron reproduit dessus
Pattern on paper with design

Feuille de plastique - *plastic cover*

Trace réalisée au point devant
Tracing with couching stitch

Technique du millefeuille
Multilayer technique

- Le millefeuille

Ensuite, il faut réaliser un « millefeuille » en superposant chacune des feuilles selon le dessin page 22.

Dans l'ordre (de la base au dessus du travail) : le tissu de coton, la feuille de papier kraft pliée en deux, la feuille avec le dessin du patron et pour finir le plastique vert.

- La trace

La trace est la structure sur laquelle s'appuient tous les points de dentelle.

Pour la réaliser, il faut suivre le contour du patron en cousant un fil double de DMC n°40 au point de couchure *(voir schéma)*, ou en piquant à la machine à coudre.

La machine à coudre est fréquemment utilisée par les dentellières de l'île de Burano. Il s'agit de machines très simples dont seul le point droit est utilisé pour suivre pas à pas l'ensemble du tracé du dessin et en piquant sur toutes les épaisseurs du millefeuille.

- A scaffold or sandwich

A « scaffold » or « sandwich » is created by combining the different layers as seen in the drawing below. The order of the layers is as follows (from base to top): the cotton backing fabric, the folded Kraft paper, the pattern and lastly the green plastic film.

- Positioning of outline

The design is stitched through the multilayer support using either a double thread and a couching thread passing though all layers, or using a sewing machine. The sewing machine is frequently used by the lacemakers on the Island of Burano. These machines are simple and only the straight forward stitch is used to follow the drawing of the design, sewing across all layers of the support. A structure (or trace outline) is obtained to support all lace stitches which will all begin on this supporting outline.

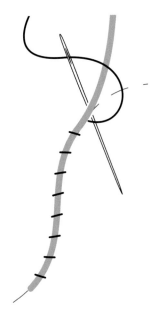

Point de couchure
Couching stitch

Matériel : papier kraft, feuille de plastique, tissu de coton, patron.
Supporting material: brown paper, colored plastic film, cotton backing material, design

Millefeuille du dessous au dessous : feuille de plastique verte, patron, papier kraft (ou blanc), tissu de coton.
Multilayer assembly in following order : green plastic film, pattern, brown (or white paper), cotton backing fabric

Trace piquée à la machine
Trace outline stiched through all layers with a sewing machine

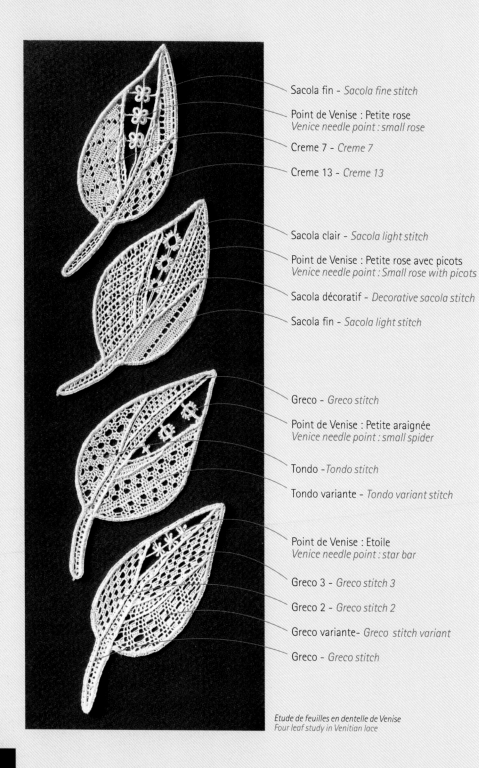

Sacola fin - *Sacola fine stitch*

Point de Venise : Petite rose
Venice needle point : small rose

Creme 7 - *Creme 7*

Creme 13 - *Creme 13*

Sacola clair - *Sacola light stitch*

Point de Venise : Petite rose avec picots
Venice needle point : Small rose with picots

Sacola décoratif - *Decorative sacola stitch*

Sacola fin - *Sacola light stitch*

Greco - *Greco stitch*

Point de Venise : Petite araignée
Venice needle point : small spider

Tondo - *Tondo stitch*

Tondo variante - *Tondo variant stitch*

Point de Venise : Etoile
Venice needle point : star bar

Greco 3 - *Greco stitch 3*

Greco 2 - *Greco stitch 2*

Greco variante - *Greco stitch variant*

Greco - *Greco stitch*

Etude de feuilles en dentelle de Venise
Four leaf study in Venitian lace

2/ Choix des différents points

On commence la dentelle de Venise par les remplis de la guipure. Ces remplis sont constitués par les différents points sacola organisés en groupes pour créer différents rendus : sacola fin ou clair, point greco, point creme, ou point tondo *(voir schémas ci-contre)*.

On continue ensuite avec les points de Venise à proprement dit qui se remarquent par de nombreuses brides décorées, puis, éventuellement, avec le point de Burano pour certains fonds.

On termine ensuite par l'ajout de reliefs (ou brodes) et des ornements de surface qui apportent une dimension et un raffinement supplémentaires.

3. Selection of stitches

The starting point for Venetian lace is the guipure or filling stitches. There are a variety of sacola filling stitches that create different styles when grouped together: fine or light sacola greco stitch, creme stitch, or tondo stitch (see diagrams below).

This step is then followed by the actual point de Venise stitches that are easily recognized due to the decorated brides, and lastly, if necessary, the Burano point is used for some of the grounds.

The piece is finally completed by adding the raised work and surface decorations that provide an extra dimension and increased refinement.

Feuilles en cours de réalisation
Leaves in progress

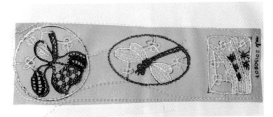

Miniatures en cours de réalisation
Miniatures in progress

3/ Libérer la dentelle de son support

Une fois la dentelle terminée, vient l'étape délicate où il faut libérer la dentelle de son support : couper les fils de support (trace) entre les feuilles de papier avec de petits ciseaux ou un cutter.

Supprimer tous les fils retenus à l'arrière de la dentelle à l'aide d'une pince à épiler ou d'une pince à écharde (vendue en parapharmacie) pour avoir une dentelle bien nette.

4. Freeing the lace piece from the backing

This step is tricky as the completed lace piece is cut free from the backing: the scissors or a cutter blade are slid between the layers of fabric and cut the basting stitches.

Remove any remaining loose thread at the back of the lace piece with a pair of quality tweezers so that the lace is neat and tidy.

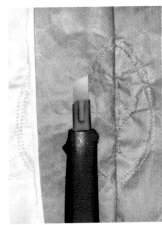

La dentelle est détachée de son support
Lace released from supporting material

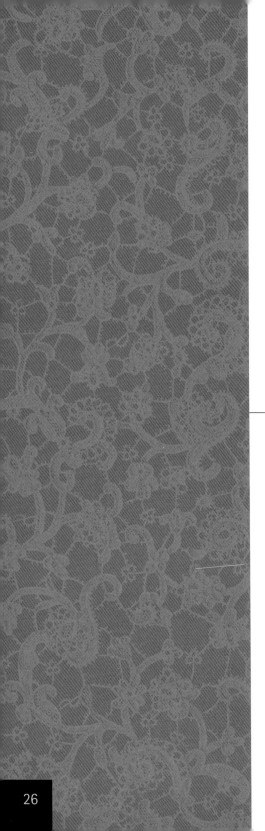

Les points de la dentelle de Venise

La dentelle de Venise est composée de quatre structures essentielles qui la rendent aisément reconnaissable :

– La guipure ou rempli des motifs

Le rempli des motifs est réalisé à partir du point sacola qui est réalisé par association de petits groupes séparés par des espaces libres afin de donner un aspect différent aux différents remplis.

– Point de Venise ou réseau de brides ornées

– Point de Burano ou réseau régulier de mailles rectangulaires

– Relief et ornements au point de feston ou au point de surjet

Le point de feston est utilisé lorsque le relief ou l'ornement est épais, tandis que le point de surjet est réservé aux reliefs et aux ornements plus fins afin de ne pas les alourdir et de conserver toute sa légèreté à la dentelle.

Stitches that make up Venetian needle lace

Venice needle lace can be easily recognized as it is made up of four main structures:

– Guipure or motif filling

Motif filling typically uses composite groups of sacola stitches separated by voids in order to create different looking fillings.

– Point de Venise or decorated brides

– Burano point or regular rectangular mesh

– Raised work and embellishments are done in point de feston or in overcast stitch

Thicker raised work or ornaments use the point de feston stitch, while the overcast stitch is used for finer relief and decorations imparting a sense of lightness to the lace.

1. La guipure ou rempli des motifs

Pour représenter les points de guipure, il est possible de les schématiser sous la forme de grilles verticales, car les points se font de bas en haut.

a. Le point sacola

C'est le point de base essentiel de la dentelle de Venise dont l'origine est le point de feston ou point de bride, point connu en broderie classique. En dentelle de Venise, le point sacola est dit « tortillé » car il s'enroule une fois autour de l'aiguille pour créer un petit nœud décoratif supplémentaire. Le point sacola se fait de manière originale de bas en haut (il est donc construit selon une ligne verticale) et de droite à gauche (sens inverse de l'écriture).
- Si les points sont très rapprochés, le sacola est dit *fisso* (ou sacola fin).
- Si les points sont plus espacés, le sacola est dit *ciaro* (ou sacola clair).
Au bout du rang (donc en haut), attacher le fil à la trace par un point de feston simple. Ensuite, lancer le fil sur toute la longueur du rang pour revenir en bas et ainsi pouvoir démarrer un nouveau rang de sacola.
Chaque point sacola prend ainsi le fil lancé et la boucle du point du rang précédent.

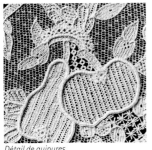

Détail de guipures
Guipure filling

1. Guipure or motif filling

Guipure stitches can best be visualized along vertical grids as the stitches are worked from bottom to top.

a. Sacola stitch

This is the basis of Venice needle lace, and is derived from blanket stitch, a widely used stitch in traditional embroidery. Venice needle lace uses a so-called « twisted » sacola stitch where the stitch is wound around the needle creating an additional ornamental knot.
The originality of the sacola stitch is that it runs from bottom to top (it is thus built along a vertical line) and from right to left (opposite to reading direction).
- When the stitches are close to one another, the sacola stitch is known as « fisso » (fine sacola)
- When the stitches are further apart, the sacola stitch is referred to as "ciaro" (light sacola).
At the end of the row (i.e. at the top of the piece), attach the thread to the outline using a simple blanket stitch. A return stitch is then positioned from top to bottom so that a new row of sacola may be started at the bottom of the piece. Each new sacola stitch uses a return thread and the stitch loop of the previous row.

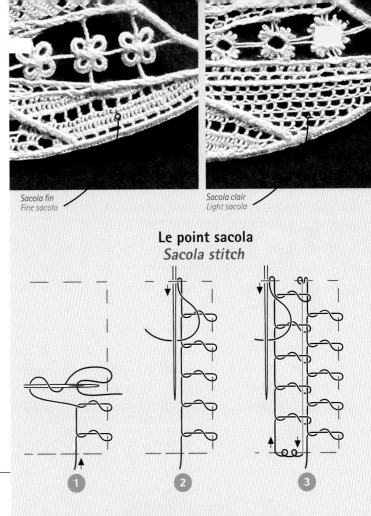

Sacola fin
Fine sacola

Sacola clair
Light sacola

Le point sacola
Sacola stitch

1   2   3

Codification du point sacola
Sacola stitch codification

Sacola fin
Fine sacola

Sacola clair
Light sacola

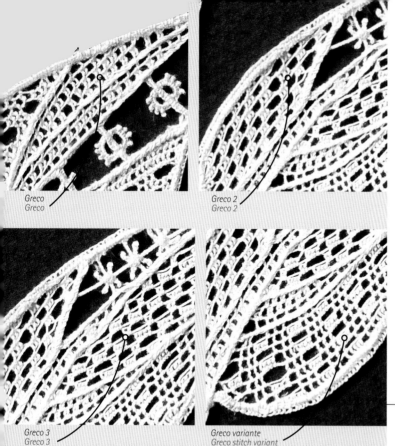

Greco
Greco

Greco 2
Greco 2

Greco 3
Greco 3

Greco variante
Greco stitch variant

Codification du point greco
Greco stitch codification

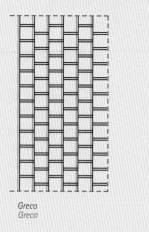

Greco
Greco

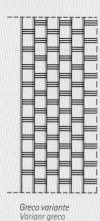

Greco variante
Varianr greco

Détail d'une guipure au point greco
Greco stitch detail

b. Le point greco

Le point greco reprend le même principe que le point sacola par regrouper par ou selon plusieurs variantes possibles.

- Rang 1 : Faire un rang de sacola fin.
- Rang 2 : Après avoir lancé le fil de retour, effectuer les points sacola en passant deux boucles du rang précédent, il se crée un petit espace entre les deux groupes de deux points. Lancer le fil de retour.
- Rang 3 : Le rang suivant, effectuer les points sacola dans chaque espace du rang précédent.

Répéter les deux derniers rangs jusqu'à la fin du motif.

---

b. Greco stitch (see diagrams)

Sacola stitches are grouped by 2 or more according to a wide variety of possible groupings

- *Row 1 : One row of fine sacola from bottom to top.*
- *Row 2 : Return thread to bottom, sacola stitches are grouped by 2 in each loops of previous row, skip one loop, 2 sacola stitches until end of row. Return thread to bottom.*
- *Row 3 : Sacola stitches are positioned in the small space of previous row.*

Repeat until end of motif.

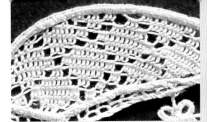

Creme 7
Creme 7

Creme 13
Creme 13

Codification du point creme
Creme stitch codification

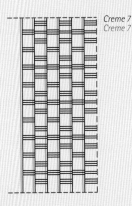
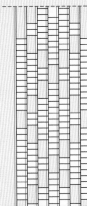

Creme 7
Creme 7

Creme 13
Creme 13

c. Le point creme

C'est un point caractéristique de la dentelle de Venise, il permet de réaliser de minuscules losanges en quinconce qui rappellent des décors symétriques anciens. Les losanges sont plus ou moins grands appelés ainsi creme 7 ou 13.

Détail d'une guipure au point creme
Creme stitch detail

c. *Creme stitch* (see diagrams)

This is a characteristic stitch of Venice lace which has small diamonds reminiscent of ancient decorative work. The diamonds may have different sizes (creme 7 ou 13). Follow the diagrams to regroup sacola stitches for each diamond.

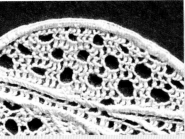

Tondo
Tondo

Tondo variante
Variant stitch tondo

d. Le point tondo (rond)

C'est un point très élégant, et assez difficile à réaliser en raison de la tension du fil qu'il faut toujours contrôler attentivement. On le retrouve dans les pièces anciennes où il est très recherché pour son pouvoir décoratif.

Ce point est différent des autres car il n'y a pas de fil lancé de haut en bas.

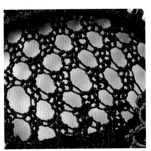

Détail d'une guipure au point tondo
Tondo stitch detail

Codification du point tondo
Tondo stitch codification

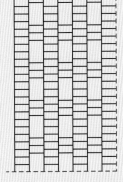

d. *Tondo stitch or round stitch* (see diagrams)

This is an elegant rounded stitch quite difficult to achieve due to thread tensioning which should be well controlled. It is often seen in old pieces because it has a great decorative effectiveness. This stitch is different from the other ones as it has no top to bottom return thread, the stitches are simply reversed on the return row. Follow the diagrams to regroup sacola stitches.

Surjet
Casting stitch

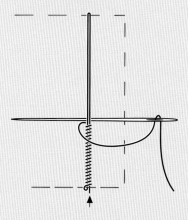

Bride festonnée
Buttonhole bar

avec un seul fil
with one thread

sur cordonnet
on cordonnet

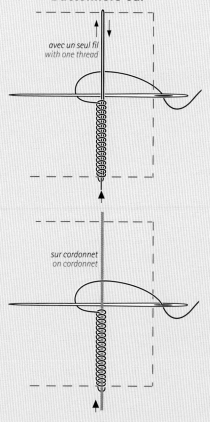

2. Point de Venise ou réseau de brides ornées

Une fois la guipure réalisée, vient la réalisation des points de Venise proprement dits qui font toute la richesse et la spécificité de cette dentelle.

Ces points de réseaux sont constitués de brides qui allègent considérablement le travail et lui donnent une profondeur par contraste entre les volumes de guipure et la légèreté des brides ornées.

Ces brides de réseau sont travaillées au point de surjet (ou surjet simple plus ou moins serré) sur deux fils lancés, ou au point de feston sur trois fils lancés.

Il y a un choix sur l'épaisseur de la bride : soit elle est constituée de 2 fils et alors le 3ème est réalisé au point de surjet, soit elle est constituée de 3 fils et le 4ème fil est réalisé au point de feston ce qui rend la bride un peu plus épaisse.

Ensuite, les points de Venise proprement dits se placent à l'intersection des brides. Les étoiles *(stella)*, les petits nœuds *(vovetti)*, et les petites roses *(rosselina)* se font en réalisant la bride qui vient croiser la première lorsque l'on se trouve au point d'intersection.

2. Point de Venise or decorated brides

Once the guipure is done, the work can proceed using the point de Venise proper, which gives this type of lace its originality and value.

These brides or bars lighten the overall look of the lace and provide a sense of depth through the contrast between the volume of the guipure and the delicate ornamental brides.

These bars are made using overcast stitches (or more or less tight simple overcast stitches) on two return threads, or else using blanket stitch on three return threads. The thickness of the bride is a choice: either it is made of two threads and then the third one is done in overcast stitch, or else it is made of three threads and the fourth one is in blanket stitch making the bride a little thicker.

Subsequently, the actual points de Venise are used where the brides cross. Thus stars (stella), little knots (vovetti), and mini roses (rosselina) are made when the bride crosses the first one.

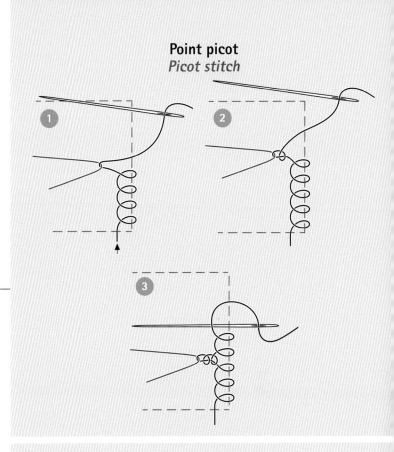

Point picot
Picot stitch

 Le picot

Pour faire un picot, il suffit d'un fil auxiliaire double tenu au niveau de la boucle qui sert à maintenir un point de feston qui donne la longueur du picot (voir schéma et dessin ci-contre).

Les quelques millimètres de fil sont couverts de points de feston (1 à 3) puis le picot est fermé par un point de feston sur la bride.

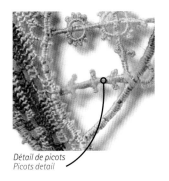

Détail de picots
Picots detail

Picot

An additional auxiliary thread is used to create a loop held in the left hand while the working thread is buttonholed around the small length of thread next to the bar. Once the thread is covered with buttonhole stitches (1 to 3), the picot is closed with a buttonhole stitch over the bar.

 La petite rose

Une fois arrivé au croisement des brides, réaliser un petit arc en prenant appui sur les deux côtés latéraux des brides de l'intersection, puis recouvrir ce petit arc de points de feston.

Recommencer autour du croisement suivant, en passant sous la bride de manière à réaliser 4 petits pétales.

Petites roses
Small roses detail

Small roses (rosselina)

At the crossing of 2 bars, create a small arc with thread anchored on both sides of the bar and cover with buttonhole. Pass the thread under the side bar and repeat small arc on the next side, in order to create 4 small petals for the rose.

Petite rose
Small roses

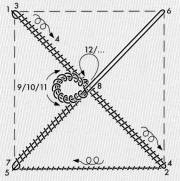

Etoile
Star

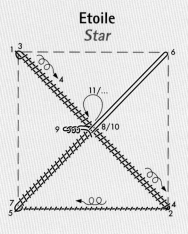

L'étoile (*stella*)

Au croisement des brides, réaliser 4 picots et terminer la bride.

Stars

At the crossing of 2 bars create 4 elongated picots (with 3 buttonhole stitches) and complete the bar.

Détail d'une étoile
Star detail

Rosette
Rosette

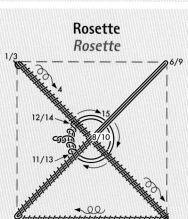

La rosette (*rosetta*)

Il s'agit de petites roues sur des brides recouvertes de points de feston. Recouvrir les petits arceaux de points de feston avec picots, en prenant appui sur chaque côté des brides. Tourner dans le sens des aiguilles d'une montre.

Rosettes

These are small couronnes done at the crossing of bars and covered with buttonhole stitches. Each small arc of a couronne is also covered with buttonhole stitch, with or without picots, supported by lateral bars. All stitches are done while turning in a clockwise manner.

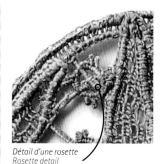

Détail d'une rosette
Rosette detail

Petit nœud
Small knot

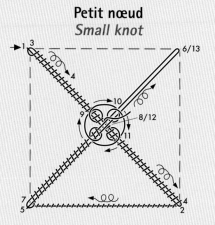

Les petits nœuds (*vovetti*)

Une fois arrivé au croisement des brides, réaliser un point de feston sur chaque rayon en tournant régulièrement autour du point central.
Faire ainsi 5 ou 6 tours puis continuer la bride du côté opposé jusqu'au prochain croisement.

Small knots (*vovetti*)

At the crossing of 2 bars, create a buttonhole stitch on each side of the bar turning regularly around the intersection point. Complete 5 or 6 rounds for each knot and work the bar until the next crossing.

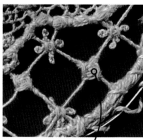

Détail d'une petit nœud
Small knot detail

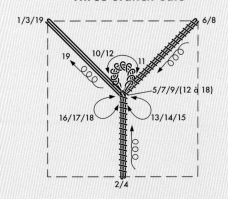

1/3/19   6/8

19 10/12 11

5/7/9/(12 à 18)

16/17/18   13/14/15

2/4

Bride à trois branches

Recouvrir les 2 premières branches et réaliser au centre des petits arceaux recouverts de points de feston avec ou sans picots, terminer la dernière branche pour revenir près de la trace.

De nombreuses variations sont possibles.

Détail de brides à trois branches
3 branch bars detail

Three branch bars

Buttonhole the first 2 branches and create small arcs at the crossing, complete the third branch and link to design outline.

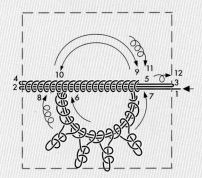

10   9 11 12

4   5 3

2   1

8 6   7

La petite araignée

La petite araignée est constituée de deux petits arceaux picotés opposés sur une bride.

C'est un point de Venise très délicat que l'on ne trouve plus dans la dentelle actuelle de Venise mais qui était très utilisé par les dentellières d'autrefois.

Pour ce point, Il faut également veiller à maintenir une tension du fil constante.

Détail de petite araignée
Small spider detail

Small spider

These small spiders are made with two small arcs with picots in opposition on a bar.

This is an intriguing Venice needlelace point which did not exist in contemporary work, but seemed to be appreciated by lacemakers in the past.

The key element as for all ornamentation in bars is thread tension which should be kept constant at all times, which may be challenging task.

Petits pétales de rose
Small rose petals

 La petite rose à picots

Il existe un autre point de Venise très difficile à réaliser et que les dentellières d'aujourd'hui n'utilisent plus : la petite rose à picots.

Ce point ressemble à la rosette, mais les brides ne se croisent pas en son centre.

J'ai choisi de l'intégrer dans certains modèles de ce livre car il est très décoratif.

Il n'y a pas d'explication pratique de ce point, il peut être remplacé par une rosette.

Small rose with picots

A difficult Venice needle lace point is the small rose with picots.

This point is similar to the rosettes but bars are left open at the center.

This Venice needlelace point was added to some projects because it appears quite effective; it is easily interchangeable with the usual rosette explained in the Technical section.

3. Point de Burano ou réseau régulier de mailles rectangulaires

C'est un point de réseau très régulier, réalisé avec un fil très fin (n°100 en coton DMC) qui donne un aspect aérien, brumeux et souple à la dentelle. C'est un équivalent du point de Tulle en dentelle aux fuseaux.

C'est un point qui est apparu bien après le réseau de Venise et qui ne donne pas lieu à beaucoup d'inventivité en raison de sa structure qui ne permet pas de modification. La méthode pour le réaliser est de tendre un fil lancé de retour après chaque rang de sacola clair. Puis en remontant de bas en haut, il faut enrouler 2 points de surjet sur ce fil lancé entre chaque point de sacola clair *(voir schéma ci-dessous)*.

Détail de la guipure en point de Burano
Burano needle lace point detail

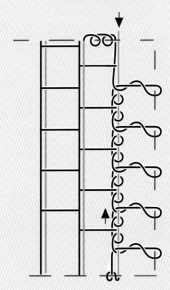

Point de Burano
Burano stitch

3) Burano ground or regular rectangular mesh

This is a very regular and fine ground done with fine thread (n°100 DMC cotton) which displays an airy, misty and light overall effect. It may be an equivalent to the Tulle point known in bobbin lace. This ground appeared posteriorly in Venice lace and was not seen in the early pieces. It does not allow for much creativity due to its conventional structure which cannot be modified.

To create a Burano ground, a return thread is necessary from top to bottom as a support of light sacola. Two simple cordonnet stitches are positioned on this return thread between each light sacola stitch (see diagrams).

Arcs picotés
Small arcs with picots

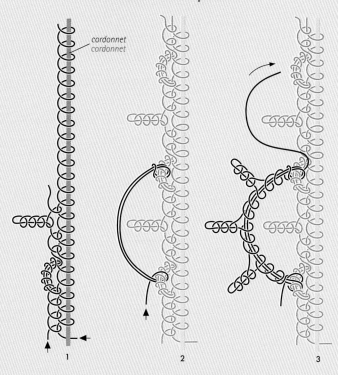

cordonnet
cordonnet

1   2   3

Petites couronnes
Small couronnes (with picots or with petals)

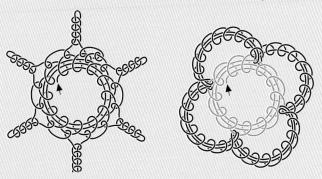

4. Relief et ornements

a. Relief (ou brodes)

Une fois le travail terminé, recouvrir l'ensemble de la trace par un fil épais recouvert de points de surjet ou de points de feston afin de délimiter les différents motifs de la dentelle.

b. Ornements *(smerli)*

Le travail d'ornement est réalisé en dernier pour ajouter des éléments en l'air en forme de **petites rosaces centrales** *(smerli)*.

Il s'agit d'une décoration typique de la dentelle de Venise, ces petites rosaces sont en relief et peuvent parfois être très nombreuses, comme dans le point de rose. Outre les petites rosaces, il peut aussi y avoir des **petits arcs avec picots** (arcs picotés) et de nombreuses variantes qui semblent parfois faites au gré de l'inspiration de la dentellière.

La technique de réalisation est la même que pour le point de Venise. On peut en distinguer quatre : les arcs picotés, le long des brodes, les brides complexes, le long des brides, les petites couronnes avec ou sans picots ou pétales, et les petites rosaces du point de rose. Ces ornements sont placés aux endroits de surélévation de la dentelle comme un cœur de fleur ou entre les tiges et les branches pour donner l'illusion de petits bourgeons. Il peut y avoir une profusion de ces ornements comme dans le point de rose ou le point de neige *(voir pages 10 et 12)* où l'on voit alors se détacher une myriade de petites ailes volantes dont l'effet s'avère assez étonnant. Il faut dire que tous ces ornements sont réalisés « en l'air » sans pratiquement aucun support, seules les bases reposent sur le travail de fond (guipure et réseau) précédemment installé.

Point de feston
Buttonhole stitch

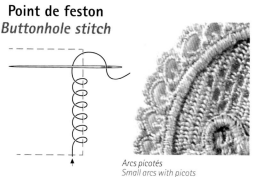

Arcs picotés
Small arcs with picots

Petite couronne
Small couronne

4. Raised work and embellishments

a. Relief or raised work

Once the work is completed, all main outlines are covered with a thread folded to give some thickness and raise the outlines in order to add dimension and contrast to the overall work. The raised work is covered with cordonnet stitch or buttonholed throughout.

b. Ornements (smerli)

Decoration work is completed at the end to add even more minute elements in the form of micro-roses decorating central areas. These decorations are typical of Venice needle lace, raised small roses may be preponderant such as in rose point. In addition to small roses, there may also exist small arcs with several picots created according to the lacemaker's inspiration.

The technique is the same as bar decorations. These embellishments are made of small couronnes with picots or with petals, small arcs with picots, or small roses which come from point rose lace (see diagrams and photos).

These decorations are added on top of the finished piece, in the center of flowers or along the flower stems to suggest a blossoming effect. There may be profusion of decorations such as in rose point or snow point where a myriad of small wings seem to levitate in air which appear to be quite effective and surprising. All these decorations are made "in aria" without almost any support, only maintained on the ground work (guipure and bars mesh) previously installed.

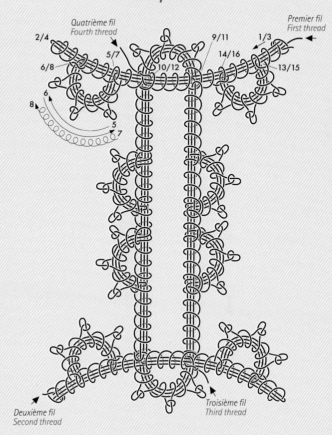

Bride complexe
Complex bar

Quatrième fil
Fourth thread

Premier fil
First thread

Deuxième fil
Second thread

Troisième fil
Third thread

Rosace
Rosace

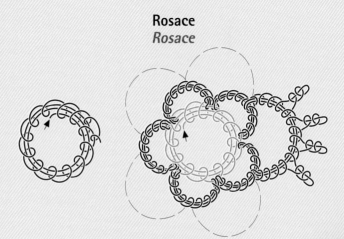

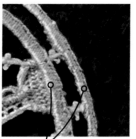

Brode relief
Relief brode

Bride complexe
Complex bar rose point lace

Rosace
Rosace

Exercice à partir d'un modèle simple : la feuille

Pour débuter, il faut s'exercer avec une forme simple comme la feuille. Réaliser la guipure, puis ajouter les points de Venise et les brodes. Ce modèle n'a volontairement pas d'ornements *(smerli)* afin de faciliter le travail.

Ci-contre voici quelques exercices à répéter jusqu'à ce que votre travail soit régulier et satisfaisant.

White lace leaves project – Step by step explanation

To start, you may experiment with a simple shape, such as a leaf. Start with the guipure, then add the Venice point lace, and the raised work. This project does not have complex bar decorations to facilitate the work. This is an excellent exercise to improve your work until it becomes regular and effective.

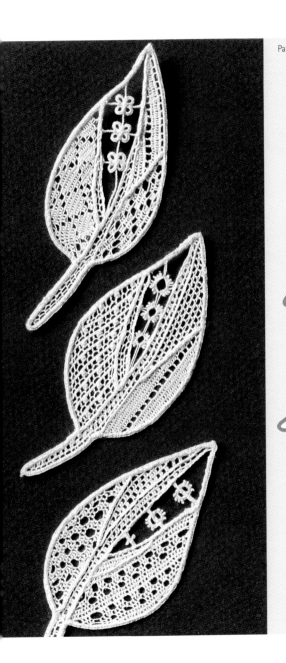

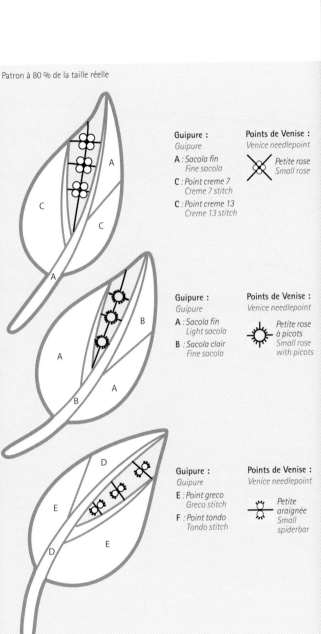

Guipure :
Guipure

A : *Sacola fin*
Fine sacola

C : *Point creme 7*
Creme 7 stitch

C : *Point creme 13*
Creme 13 stitch

Points de Venise :
Venice needlepoint

Petite rose
Small rose

Guipure :
Guipure

A : *Sacola fin*
Light sacola

B : *Sacola clair*
Fine sacola

Points de Venise :
Venice needlepoint

Petite rose
à picots
Small rose
with picots

Guipure :
Guipure

E : *Point greco*
Greco stitch

F : *Point tondo*
Tondo stitch

Points de Venise :
Venice needlepoint

Petite
araignée
Small
spiderbar

Etude de modèles anciens

L'étude de modèles anciens permet de comprendre comment travaillaient les anciennes dentellières. Avec un peu d'attention, on voit la « qualité » de la main qui a travaillé. Les ouvrages étaient souvent confiés à plusieurs dentellières, chacune spécialisée dans un ou plusieurs points particuliers. Ainsi chaque point était parfaitement maîtrisé et aucune dentellière ne réalisait la pièce entière. Cela permettait ainsi de faire baisser les coûts, « d'industrialiser » et de mieux contrôler la production.

J'ai choisi deux exemples d'interprétations au point de rose et au point de neige. Pour réinterpréter ces modèles anciens, j'ai choisi d'utiliser la couleur car on la retrouve de manière permanente dans tout l'environnement vénitien. Cependant, la dentelle de Venise est traditionnellement d'un blanc immaculé et c'est avec grand étonnement que sont perçus les modèles en couleur, encore aujourd'hui. La couleur, comme vu précédemment, offre une dimension supplémentaire et une façon de voir différente de celle du blanc classique.

J'ai également choisi de vous présenter des papillons en dentelle de Venise réalisés par des dentellières d'aujourd'hui à Burano.

Ancient models studies

A wncient model studies are an introduction to understand how ancient lacemakers used to work. With careful attention, the quality and skill of the hand which has worked the lace may be appreciated. In old times, same parts of the work were done by individual lacemakers who were specialized in the given area of work.

Consequently, each technical aspect was well controlled by a given lacemaker, and none were asked to complete the entire work. This allowed for an industrialized creation of laces with lowered costs and improved production control

Three examples of ancient lace are presented here with rose point and snow point.

Interprétation du point de rose n°1
Rose point lace interpretation # 1

Patron à taille réelle

Légende patron
Caption pattern

Guipure : A = Sacola fin, B = Greco, C = Sacola clair,
D = Tondo, E = Creme 13
Guipure : A = Fine sacola, B = Greco, C = Lignt sacola,
D = Tondo, E = Creme 13

Ornements :
Decorations :

 Couronne
Couronne

 Couronne à picots
Couronne with picots

〰〰〰 Petits arcs picotés
Small arcs with picots

 Bride complexe
Complex bar

Matériel

- Fils pour la dentelle : Aurifil n°100, couleur au choix (voir sites en fin de livre)
- Fil DMC blanc n°40 pour trace, pour fixer la trace et pour le fil auxiliaire des picots
- Aiguille n°8
- Plastique transparent de couleur si possible
- Papier kraft ou papier blanc usuel
- Tissu en coton pour le dos du millefeuille
- Tombolo (facultatif)

Material

- *Lace floss : Aurifil n°100, several choices of colors (see website at end of book)*
- *Thread DMC n°40 for outline design (trace), to stitch the thread in the multilayer deck, and the auxiliary thread for the picots*
- *Needle n°8*
- *Plastic color film*
- *Brown or white paper*
- *Cotton fabric for backing of multilayer deck*
- *Tombolo (optional)*

Points utilisés

- Points de guipure : sacola fin et clair, greco, creme, tondo
- Ornements : bride complexe, couronnes, couronne à picots, petits arcs picotés.

Stitches in the project
(see technical section)

- *Guipure stitches (sacola fine and light, greco, creme, tondo)*
- *Decorations on top of lace*

Explications

- Décalquer le patron.
- Créer le millefeuille.
- Réaliser la trace :
  - Piquer la trace à la machine ou la poser à la main en suivant les contours du dessin avec le fil DMC blanc en double.
  - Installer le millefeuille sur le tombolo.
- Réaliser la guipure avec le fil à dentelle en suivant le schéma ci-dessous.
- L'ordre de réalisation des points de guipure est indifférent.
- Poser les brodes avec le fil à dentelle : au point de surjet pour les reliefs fins, ou au point de feston pour les reliefs plus épais, selon le schéma ci-dessous.
- Festonner le contour extérieur avec le fil à dentelle
- Réaliser les ornements avec le fil à dentelle en s'aidant du schéma :
  - petits arcs petits arcs avec ou sans picot
  - couronne
  - couronne à picots au centre de la fleur
  - bride complexe
- Détacher la dentelle de son support en coupant au cutter (ou aux ciseaux fins) les fils blancs qui maintiennent la trace sur son support. Retirer les fils blancs (avec une pince à écharde) qui restent accrochés à la dentelle pour qu'ellesoit bien nette.

Explanations

- *Transfer the pattern on tracing paper*
- *Prepare the multilayer deck*
- *Prepare the outline (trace):*
  - *Sew the outline trace with a sewing machine or position it by hand using the couching method with DMC thread folded in two*
  - *Position with pins the multilayer deck on the tombolo*
- *Start the guipure stitches with the lace thread*
  - *Fill in the motifs with guipure stitches including sacola, greco, creme et tondo (see photo and diagram of completed project)*
  - *The order in which stitches are made is indifferent*
- *Add the raised work on the outline with the lace thread using cordonnet stitch for fine outlines, or buttonhole stitch for thicker outlines (see photo below)*
- *Buttonhole the outside contour (see photo below)*
- *Finally add with the lace thread the decorations (see diagrams for each type of decoration)*
  - *Small arcs with picots*
  - *Small couronnes (with picots or with petals)*
  - *couronnes*
  - *complex bar*
- *Release the lace from the supporting multilayer deck using sharp scissors or blade*
- *Remove remaining white thread with fine pliers so that the lace is neat.*

Interprétation du point de rose n°2
Rose point lace interpretation # 2

Patron à taille réelle

Matériel

- Fils pour la dentelle : Aurifil n°100, couleur au choix *(voir sites en fin de livre)*
- Fil DMC blanc n°40, pour fixer la trace et pour le fil auxiliaire des picots
- Aiguille n°8
- Plastique transparent de couleur si possible
- Papier kraft ou papier blanc usuel
- Tissu en coton pour le dos du millefeuille
- Tombolo (facultatif)

Material

- *Lace floss : Aurifil n°100, several choices of colors (see website at end of book)*
- *Thread DMC n°40 for outline design (trace), to stitch the thread in the multilayer deck, and the auxiliary thread for the picots*
- *Needle n°8*
- *Plastic color film*
- *Brown or white paper*
- *Cotton fabric for backing of multilayer deck*
- *Tombolo (optional)*

Points utilisés

- Points de guipure : sacola fin, creme 7
- Ornements : petits arcs picotés, couronne à picots, couronnes à pétales

Stitches in the project
(see technical section)

- *Guipure stitches (sacola fine, creme 7)*
- *Decorations on top of lace (small arcs with picots, small couronnes (with picots or with petals).*

Modèle ancien
Ancient model

Explications

- Décalquer le patron.
- Créer le millefeuille.
- Réaliser la trace :
  - Piquer la trace à la machine ou la poser à la main en suivant les contours du dessin avec le fil DMC blanc en double.
  - Installer le millefeuille sur le tombolo.
- Réaliser la guipure avec le fil à dentelle en suivant le schéma. L'ordre de réalisation des points de guipure est indifférent.
- Poser les brodes (relief sur les contours) avec le fil à dentelle au point de surjet pour les reliefs fins, ou au point de feston pour les reliefs plus épais.
- Festonner le contour extérieur avec le fil à dentelle.
- Réaliser les ornements avec le fil à dentelle en vous aidant du patron et de la photo du modèle :
  - petits arcs picotés
  - couronne à picots au sommet de la fleur
  - couronne à pétales au coeur de la fleur
- Détacher la dentelle de son support en coupant au cutter (ou aux ciseaux fins) les fils blancs qui maintiennent la trace sur son support. Retirer les fils blancs (avec une pince à écharde) qui restent accrochés à la dentelle pour qu'elle soit bien nette.

Explanations

- *Transfer the pattern on tracing paper*
- *Prepare the multilayer deck*
- *Prepare the outline (trace):*
  - *Sew the outline trace with a sewing machine or position it by hand using the couching method with DMC thread folded in two*
  - *Position with pins the multilayer deck on the tombolo*
- *Start the guipure stitches with the lace thread*
  - *Fill in the motifs with guipure stitches including sacola, creme 7 (see photo and diagram of completed project)*
  - *The order in which stitches are made is indifferent*
- *Add the raised work on the outline with the lace thread using cordonnet stitch for fine outlines, or buttonhole stitch for thicker outlines (see photo below)*
- *Buttonhole the outside contour (see photo below)*
- *Finally add with the lace thread the decorations (see diagrams for each type of decoration)*
  - *Small arcs with picots*
  - *Small couronnes (with picots or with petals)*
- *Release the lace from the supporting multilayer deck using sharp scissors or blade*
  - *Remove remaining white thread with fine pliers so that the lace is neat.*

Interprétation du point de neige
Snow point lace interpretation

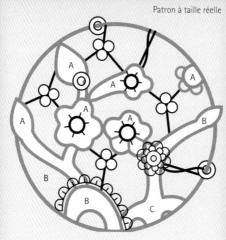

Patron à taille réelle

Légende patron
Caption pattern

Guipure : *A = Greco, B = Sacola fin, C = Tondo*
Guipure : A = Greco, B = Fine sacola, C = Tondo

Points de Venise :
Venice needlepoint :

Bride à 3 branches
Three branc bars

Ornements :
Decorations :

 Couronne
Couronne

 Couronne à picots
Couronne with picots

 Petits arcs picotés
Small arcs with picots

Matériel

- Fils pour la dentelle : coton DMC spécial dentelles n°80 *(voir sites en fin de livre)*
- Fil DMC blanc n°40, pour fixer la trace.
- Aiguille n°8
- Plastique transparent de couleur si possible
- Papier kraft ou papier blanc usuel
- Tissu en coton pour le dos du millefeuille
- Tombolo (facultatif)

Material

- *Lace floss : cotton DMC "spécial dentelles" n°80 (see website at end of book)*
- *Thread DMC n°40 for outline design (trace), to stitch the thread in the multilayer deck.*
- *Needle n°8*
- *Plastic color film*
- *Brown or white paper*
- *Cotton fabric for backing of multilayer deck*
- *Tombolo (optional)*

Points utilisés

- Points de guipure : sacola fin, greco, tondo
- Point de Venise : bride à 3 branches, Vous pouvez voir sur la photo des brides ornées d'arceaux picotés inversés (figurés comme des liens sur le patron), c'est une des variantes possibles des arcs picotés. Nous ne les expliquons pas dans cet ouvrage, mais libre à vous de les tenter !
- Ornements : couronne, couronne à pétales, arcs picotés

Stitches in the project
(see technical section)

- *Guipure stitches (sacola fine, greco, tondo)*
- *Venice needlepoint (3 branch arcs)*
- *Decorations on top of lace Couronnes, couronnes with petals, small arcs with picots)*

Modèle ancien
Ancient model

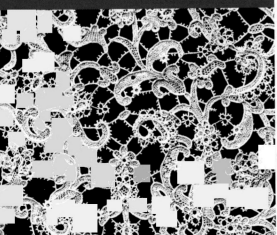

Explications

- Décalquer le patron.
- Créer le millefeuille.
- Réaliser la trace :
  - Piquer la trace à la machine ou la poser à la main en suivant les contours du dessin avec le fil DMC blanc en double.
  - Installer le millefeuille sur le tombolo.
- Réaliser la guipure avec le fil à dentelle en suivant le schéma. L'ordre de réalisation des points de guipure est indifférent.
- Réaliser les points de Venise avec le fil à dentelle en vous aidant du patron et de la photo du modèle :
  - les brides à trois branches
- Poser les brodes (relief sur les contours) avec le fil à dentelle : au point de surjet pour les reliefs fins, ou au point de feston pour les reliefs plus épais.
- Festonner le contour extérieur avec le fil à dentelle.
- Réaliser les ornements avec le fil à dentelle en vous aidant du patron et de la photo du modèle :
  - Petits arcs picotés
  - Couronnes avec ou sans picots au centre de la fleur
- Détacher la dentelle de son support en coupant au cutter (ou aux ciseaux fins) les fils blancs qui maintiennent la trace sur son support. Retirer les fils blancs (avec une pince à écharde) qui restent accrochés à la dentelle pour qu'elle soit bien nette.

Explanations

- *Transfer the pattern on tracing paper*
- *Prepare the multilayer deck*
- *Prepare the outline (trace):*
  - *Sew the outline trace with a sewing machine or position it by hand using the couching method with DMC thread folded in two.*
  - *Position with pins the multilayer deck on the tombolo*
  - *Start the guipure stitches with the lace thread*
  - *Fill in the motifs with guipure stitches including sacola (see photo and diagram of completed project)*
  - *The order in which stitches are made is indifferent*
- *Add Venice point lace with lace thread in the form of small decorated bars which link guipure areas, as indicated on the diagrams and photos*
  - *Three branch bars*
- *Add the raised work on the outline with the lace thread using cordonnet stitch for fine outlines, or buttonhole stitch for thicker outlines (see photo below)*
- *Buttonhole the outside contour (see photo below)*
- *Finally add with the lace thread the decorations (see diagrams for each type of decoration)*
  - *Small arcs with picots*
  - *Couronnes with picots*
  - *Couronnes*
- *Release the lace from the supporting multilayer deck using sharp scissors or blade*
  - *Remove remaining white thread with fine pliers so that the lace is neat.*

Modèle inspiré de l'architecture vénitienne
Inspiration from venitian architecture

Traduire l'environnement est une possibilité d'expression des arts du fil assez rarement employée jusqu'à présent en dentelle de Venise. Un simple fil de trace selon un dessin improvisé peut laisser libre cours à l'imagination et permettre d'explorer les champs du possible à l'aide d'un fil et d'une simple aiguille.

To translate the environment is an alternative which is rarely used in Venice needle lace. A simple outline thread stitched on an improvised design may lead to freedom of inspiration and style, and explore new areas using a simple thread and needle.

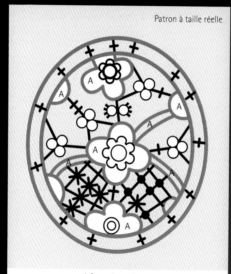

Patron à taille réelle

Légende patron
Caption pattern

Guipure : A = Sacola clair
Guipure : A = Light sacola

Points de Venise :
Venice needlepoint :

 Bride à 3 branches
Three branc bars

 Petite araignée
Small spider

 Etoile
Star

Picot
Picot

 Petit nœud
Small knot

Ornements :
Decorations :

 Couronne à pétales
Couronne with petals

 Couronne à picots
Couronne with picots

Matériel

- Fils pour la dentelle : fils soie Phénix blanche et verte (voir sites en fin de livre)
- Fil DMC blanc n°40 pour fixer la trace et pour le fil auxiliaire des picots
- Aiguille n°8
- Plastique transparent de couleur si possible
- Papier kraft ou papier blanc usuel
- Tissu en coton pour le dos du millefeuille
- Tombolo (facultatif)

Material

- *Lace floss : White and green silk Phenix floss, several choices of colors (see website at end of book)*
- *Thread DMC n°40 for outline design (trace), to stitch the thread in the multilayer deck, and the auxiliary thread for the picots*
- *Needle n°8*
- *Plastic color film*
- *Brown or white paper*
- *Cotton fabric for backing of multilayer deck*
- *Tombolo (optional)*

Points utilisés

- Points de guipure : sacola clair
- Point de Venise : bride à 3 branches, petite araignée, étoile, picot, petits nœuds
- Ornements : couronne à pétales, couronne

Stitches in the project
(see technical section)

- *Guipure stitches (sacola clair)*
- *Venice Needlepoint : (bars with stars, 3 branch bars, picots, small spider)*
- *Decorations on top of lace : (small couronnes, with petals and couronnes with picots)*

Explications

- Décalquer le patron.
- Créer le millefeuille.
- Réaliser la trace :
  - Piquer la trace à la machine ou la poser à la main en suivant les contours du dessin avec le fil DMC blanc en double.
  - Installer le millefeuille sur le tombolo.
- Réaliser la guipure avec le fil à dentelle selon le patron. L'ordre de réalisation des points de guipure est indifférent.
- Réaliser le point de Venise avec le fil à dentelle en s'aidant du patron et de la photo du modèle :
  - les étoiles
  - les brides à trois branches
  - petite araignée
  - picots
  - petits nœuds
- Poser les brodes (relief sur les contours) avec le fil à dentelle au point de surjet pour les reliefs fins, ou au point de feston pour les reliefs plus épais.
- Festonner le contour extérieur avec le fil à dentelle en s'aidant de la photo du modèle.
- Réaliser les ornements avec le fil à dentelle et les disposer en s'aidant du patron et de la photo du modèle :
  - couronne à picots et couronnes à pétales au centre des fleurs
- Détacher la dentelle de son support en coupant au cutter (ou aux ciseaux fins) les fils blancs qui maintiennent la trace sur son support. Retirer les fils blancs (avec une pince à écharde) qui restent accrochés à la dentelle pour qu'elle soit bien nette.

Explanations

- *Transfer the pattern on tracing paper*
- *Prepare the multilayer deck*
- *Prepare the outline (trace):*
  - *Sew the outline trace with a sewing machine or position it by hand using the couching method with DMC thread folded in two*
  - *Position with pins the multilayer deck on the tombolo*
- *Start the guipure stitches with the lace thread*
  - *The order in which stitches are made is indifferent*
- *Add Venice point lace with lace thread in the form of small decorated bars which link guipure areas, as indicated on the diagrams and photos*
  - *Bars with stars*
  - *Three branch bars*
  - *Small spider*
  - *picots*
  - *Bars with small knots*
- *Add the raised work on the outline with the lace thread using cordonnet stitch for fine outlines, or buttonhole stitch for thicker outlines (see photo below)*
- *Buttonhole the outside contour (see photo below)*
- *Finally add with the lace thread the decorations (see diagrams for each type of decoration)*
  - *Small couronnes (with picots or with petals)*
- *Release the lace from the supporting multilayer deck using sharp scissors or blade*
  - *Remove remaining white thread with fine pliers so that the lace is neat.*

Miniatures pour bijoux

I s'agit de petits motifs de réalisation assez rapide en raison de leur petite taille.

Toutes les interprétations sont possibles, vous pouvez laisser libre court à votre imagination. Pour ces médaillons, je me suis inspirée de fleurs (une rose et une orchidée) et de bonbons anglais. Pour les boucles d'oreilles, j'ai représenté de petites planètes et interprété librement des miniatures byzantines.

Miniatures for jewels

These small projects may be rapid to complete due to their size. All interpretations are possible, you may leave your imagination wander.

For the medallions, I chose flowers (one rose and one orchid), English candies, and a free adaptation of planets for earrings, as well as byzantine miniatures

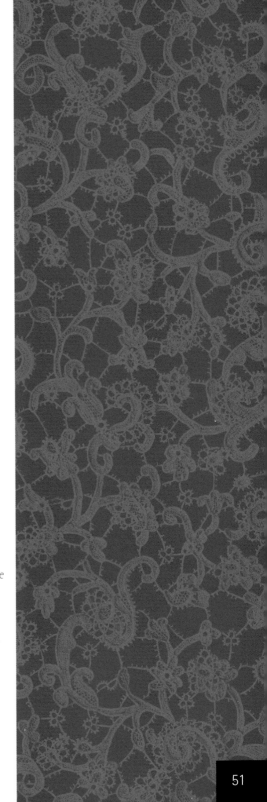

Flowers brooches n°1

A   B

Légende patron
Caption pattern

Guipure : *A = Tondo, B = Sacola clair*
Guipure : A = Tondo, B = Light sacola

Points de Venise :
Venice needlepoint :

 Etoile
Star

Rosette
Rosette

Ornements :
Decorations :

 Couronne
Couronne

- Fils pour la dentelle : Fils soies Phénix de couleur (voir sites en fin de livre)
- Fil DMC blanc n°40 pour fixer la trace
- Aiguille n°8
- Plastique transparent de couleur si possible
- Papier kraft ou papier blanc usuel
- Tissu en coton pour le dos du millefeuille
- Tombolo (facultatif)

Material

- *Lace floss : silk Phenix floss, several choices of colors (see website at end of book)*
- *Thread DMC n°40 for outline design (trace)*
- *Needle n°8*
- *Plastic color film*
- *Brown or white paper*
- *Cotton fabric for backing of multilayer deck*
- *Tombolo (optional)*

Points utilisés

- Points de guipure : sacola clair, tondo
- Points de Venise : étoile, rosette
- Ornements : petite couronne

Stitches in the project
(see technical section)

- *Guipure stitches (sacola clair, tondo)*
- *Venice needle point (bars with stars, bars with rosettes)*
- *Decorations on top of lace (small couronne)*

Explications

- Décalquer le modèle
- Créer le millefeuille.
- Réaliser la trace :
  - Piquer la trace à la machine ou la poser à la main en suivant les contours du dessin avec le fil DMC blanc en double.
  - Installer le millefeuille sur le tombolo.
- Réaliser la guipure avec le fil à dentelle. L'ordre de réalisation des points de guipure est indifférent.
- Réaliser le point de Venise avec le fil à dentelle en s'aidant du patron et de la photo du modèle :
  - les étoiles
  - les rosettes
- Poser les brodes (relief sur les contours) avec le fil à dentelle : au point de surjet pour les reliefs fins, ou au point de feston pour les reliefs plus épais.
- Festonner le contour extérieur avec le fil à dentelle en s'aidant de la photo du modèle.
- Facultatif : réaliser les ornements avec le fil à dentelle en s'aidant du patron et de la photo du modèle pour les positionner :
  - petite couronne peu surélevée au centre de la fleur
- Détacher la dentelle de son support en coupant au cutter (ou aux ciseaux fins) les fils blancs qui maintiennent la trace sur son support. Retirer les fils blancs (avec une pince à écharde) qui restent accrochés à la dentelle pour qu'elle soit bien nette.

Explanations

- *Transfer the pattern on tracing paper*
- *Prepare the multilayer deck*
- *Prepare the outline (trace):*
  - *Sew the outline trace with a sewing machine or position it by hand using the couching method with DMC thread folded in two*
  - *Position with pins the multilayer deck on the tombolo*
- *Start the guipure stitches with the lace thread*
  - *Fill in the motifs with guipure stitches including sacola and tondo (see photo and pattern below)*
  - *The order in which stitches are made is indifferent*
- *Add Venice point lace with lace thread in the form of small decorated bars which link guipure ares, as indicated on the diagrams and photos*
  - *Bars with stars*
  - *Bars with rosettes*
- *Add the raised work on the outline with the lace thread using cordonnet stitch for fine outlines, or buttonhole stitch for thicker outlines (see photo below)*
- *Buttonhole the outside contour (see photo below)*
- *Finally add with the lace thread the decorations (see diagrams for each type of decoration)*
  - *Small couronne*
- *Release the lace from the supporting multilayer deck using sharp scissors or blade*
  - *Remove remaining white thread with fine pliers so that the lace is neat.*

Médaillon petite fleur n°2
Flower brooch n°2

Matériel

- Fils pour la dentelle : coton DMC spéciale dentelle
- Fil DMC blanc n°40 pour fixer la trace.
- Aiguille n°8
- Plastique transparent de couleur si possible
- Papier kraft ou papier blanc usuel
- Tissu en coton pour le dos du millefeuille
- Tombolo (facultatif)

Patron à taille réelle

Légende patron
Caption pattern

Guipure : A = Sacola clair, B = Sacola fin
Guipure : A = Light sacola, B = Fine sacola

Points de Venise :
Venice needlepoint :

 Petit nœud
Small knot

Ornements :
Decorations :

⊚ Couronne
Couronne

✿ Couronne à pétales
Couronne with petals

✿ Couronne picotée
Couronne with picots

Zoom du cœur de la fleur
Heart flower detail

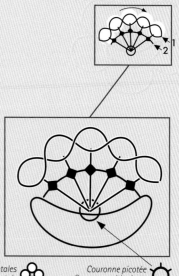

Couronne à pétales
Couronne with petals ✿

Couronne picotée
Couronne with picots

54

Material

- Lace floss : cotton DMC "spécial dentelles" n°80 (see website at end of book
- Thread DMC n°40 for outline design (trace)
- Needle n°8
- Plastic color film
- Brown or white paper
- Cotton fabric for backing of multilayer deck
- Tombolo (optional)

Points utilisés

- Points de guipure : sacola clair, sacola fin
- Point de Venise : petits nœuds
- Il y a peu d'ornements afin de ne pas entraver la mise en place du cadre. Ici, nous avons ajouté de petites couronnes, ainsi que des couronnes à pétales et des couronnes picotées.

Stitches in the project
(see technical section)

- Guipure stitches (sacola fine and light)
- Venice needle lace point (bars with small knot)
- Decorations on top of lace (small couronnes, small couronnes with petals or picots)

Explications

- Décalquer le modèle
- Créer le millefeuille.
- Réaliser la trace :
  - Piquer la trace à la machine ou la poser à la main en suivant les contours du dessin avec le fil DMC blanc en double.
  - Installer le millefeuille sur le tombolo.
- Réaliser la guipure avec le fil à dentelle comme indiqué sur le patron. L'ordre de réalisation des points de guipure est indifférent.
- Réaliser le point de Venise avec le fil à dentelle en s'aidant du patron et de la photo du modèle :
  - les petits nœuds
- Poser les brodes (relief sur les contours) avec le fil à dentelle : au point de surjet pour les reliefs fins, ou au point de feston pour les reliefs plus épais.
- Festonner le contour extérieur avec le fil à dentelle en s'aidant de la photo du modèle.
- Réaliser les ornements avec le fil à dentelle en s'aidant du patron et de la photo du modèle pour les positionner :
  - petites couronnes peu surélevées au centre des fleurs.
  - petites couronnes picotées
  - petites couronnes à pétales
- Détacher la dentelle de son support en coupant au cutter (ou aux ciseaux fins) les fils blancs qui maintiennent la trace sur son support. Retirer les fils blancs (avec une pince à écharde) qui restent accrochés à la dentelle pour qu'elle soit bien nette.

Explanations

- Transfer the pattern on tracing paper
- Prepare the multilayer deck
- Prepare the outline (trace)
  - Sew the outline trace with a sewing machine or position it by hand using the couching method with DMC thread folded in two
  - Position with pins the multilayer deck on the tombolo
- Start the guipure stitches with the lace thread
  - Fill in the motifs with guipure stitches including sacola (see photo and pattern below)
  - The order in which stitches are made is indifferent
- Add Venice point lace with lace thread in the form of small decorated bars which link guipure ares, as indicated on the diagrams and photos
  - Bars with small knot
- Add the raised work on the outline with the lace thread using cordonnet stitch for fine outlines, or buttonhole stitch for thicker outlines (see photo below)
- Buttonhole the outside contour (see photo below)
- Finally add with the lace thread the decorations (see pattern for each type of decoration)
  - Small couronnes (with picots or with petals)
  - Small couronnes
- Release the lace from the supporting multilayer deck using sharp scissors or blade
  - Remove remaining white thread with fine pliers so that the lace is neat.

Candies

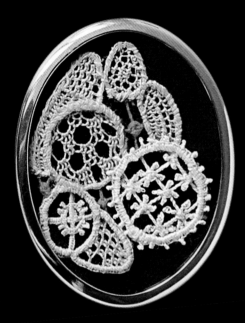

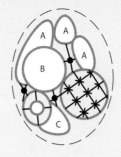

A
A
A
B
C

Légende patron
Caption pattern

Guipure : A = Sacola fin, B = Tondo,
C = Greco
Guipure : A = Fine sacola, B = Tondo,
C = Greco

Points de Venise :
Venice needlepoint :

Petit nœud
Small knot

Rosette
Rosette

Etoile
Star

Ornements :
Decorations :

Picot
Picot

- Fils pour la dentelle : Fils soies Phénix de couleur *(voir sites en fin de livre)*
- Fil DMC blanc n°40 pour fixer la trace et pour le fil auxiliaire des picots
- Aiguille n°8
- Plastique transparent de couleur si possible
- Papier kraft ou papier blanc usuel
- Tissu en coton pour le dos du millefeuille
- Tombolo (facultatif)

Material

- *Lace floss : silk Phenix floss, several choices of colors (see website at end of book)*
- *Thread DMC n°40 for outline design (trace), to stitch the thread in the multilayer deck, and the auxiliary thread for the picots*
- *Needle n°8*
- *Plastic color film*
- *Brown or white paper*
- *Cotton fabric for backing of multilayer deck*
- *Tombolo (optional)*

Points utilisés

- Points de guipure : sacola fin, tondo, greco
- Points de Venise : petits nœuds, étoiles, rosette, picots.
- Ornement : picots

Stitches in the project
(see technical section)

- *Guipure stitches (sacola fine, tondo, greco)*
- *Venice Needlepoint (little knots, bars with stars, picots, rosette)*
- *Decoration (picots)*

Explications

- Décalquer le modèle.
- Créer le millefeuille.
- Réaliser la trace :
  - Piquer la trace à la machine ou la poser à la main en suivant les contours du dessin avec le fil DMC blanc en double.
  - Installer le millefeuille sur le tombolo.
- Réaliser la guipure avec le fil à dentelle. L'ordre de réalisation des points de guipure est indifférent.
- Réaliser le point de Venise avec le fil à dentelle en s'aidant du patron et de la photo du modèle :
  - les étoiles
  - les petits nœuds
  - la rosette
  - les picots
- Poser les brodes (relief sur les contours) avec le fil à dentelle : au point de surjet pour les reliefs fins, ou au point de feston pour les reliefs plus épais.
- Festonner le contour extérieur avec le fil à dentelle en s'aidant de la photo du modèle.
- Réaliser les ornements avec le fil à dentelle en s'aidant du patron et de la photo du modèle pour les positionner :
  - picots
- Détacher la dentelle de son support en coupant au cutter (ou aux ciseaux fins) les fils blancs qui maintiennent la trace sur son support. Retirer les fils blancs (avec une pince à écharde) qui restent accrochés à la dentelle pour qu'elle soit bien nette.

Explanations

- *Transfer the pattern on tracing paper*
- *Prepare the multilayer deck*
- *Prepare the outline (trace) to stitch the thread in the multilayer deck, and the auxiliary thread for the picots*
  - *Sew the outline trace with a sewing machine or position it by hand using the couching method with DMC thread folded in two*
  - *Position with pins the multilayer deck on the tombolo*
- *Start the guipure stitches with the lace thread*
  - *Fill in the motifs with guipure stitches (see photo and pattern below)*
- *The order in which stitches are made is indifferent*
- *Add Venice point lace with lace thread in the form of small decorated bars which link guipure areas, as indicated on the diagrams and photos*
  - *Bars with stars*
  - *Picots*
  - *Rosette*
  - *Little knots*
- *Add the raised work on the outline with the lace thread using cordonnet stitch for fine outlines, or buttonhole stitch for thicker outlines (see photo below)*
- *Buttonhole the outside contour (see photo below)*
- *Finally add with the lace thread the decorations (see pattern for each type of decoration) :*
  - *picots on top of lace*
- *Release the lace from the supporting multilayer deck using sharp scissors or blade*
  - *Remove remaining white thread with fine pliers so that the lace is neat.*

Boucles d'oreilles planètes
Planet earrings

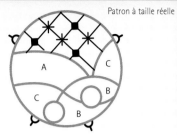

Légendes patrons
Caption pattern

Guipure : *A = Tondo, B = Sacola fin, C = Sacola clair*
Guipure : *A = Tondo, B = Fine sacola, C = Light sacola*

Points de Venise :
Venice needlepoint :

Ornements :
Decorations :

✳ Etoile
Star

✴ Petit nœud
Small knot

⬡ Couronne à picots
Couronne with picots

⌂ Petit arceau picoté
Small arc with picot

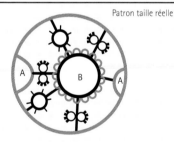

Guipure : *A = Sacola fin, B = Tondo*
Guipure : *A = Fine sacola, B = Tondo*

Points de Venise :
Venice needlepoint :

Ornements :
Decorations :

🕷 Petite araignée
Small spider

◎ Couronne à pétales
Couronne with petals

☼ Couronne à picots
Couronne with picots

Matériel

- Fils pour la dentelle : Aurifil n°100, couleur au choix *(voir sites en fin de livre)*
- Fil DMC blanc n°40 pour fixer la trace et pour le fil auxiliaire des picots
- Aiguille n°8
- Plastique transparent de couleur si possible
- Papier kraft ou papier blanc usuel
- Tissu en coton pour le dos du millefeuille
- Tombolo (facultatif)

Material

- *Lace floss: Aurifil n°100, several choices of colors (see website at end of book)*
- *Thread DMC n°40 for outline design (trace), to stitch the thread in the multilayer deck, and the auxiliary thread for the picots*
- *Needle n°8*
- *Plastic color film*
- *Brown or white paper*
- *Cotton fabric for backing of multilayer deck*
- *Tombolo (optional)*

Points utilisés

- Points de guipure : sacola, tondo
- Point de Venise : petites araignées, étoiles, petits nœuds
- Ornements : couronnes à picots, couronne à pétales.

Stitches in the project
(see technical section)

- *Guipure stitches (sacola fine, tondo)*
- *Venice needlepoint (small spiders, bars with stars, bars with small knots)*
- *Decorations on top of lace (couronnes with picots, couronne with petals)*

Explications

- Décalquer le modèle.
- Créer le millefeuille.
- Réaliser la trace :
  - Piquer la trace à la machine ou la poser à la main en suivant les contours du dessin avec le fil DMC blanc en double.
  - Installer le millefeuille sur le tombolo.
- Réaliser la guipure avec le fil à dentelle en suivant le patron et en vous aidant de la photo du modèle. L'ordre de réalisation des points de guipure est indifférent.
- Réaliser le point de Venise avec le fil à dentelle en suivant le patron :
  - les petites araignées
  - étoiles
  - petits nœuds
- Poser les brodes (relief sur les contours) avec le fil à dentelle : au point de surjet pour les reliefs fins, ou au point de feston pour les reliefs plus épais.
- Festonner le contour extérieur avec le fil à dentelle en s'aidant de la photo du modèle.
- Réaliser les ornements avec le fil à dentelle, en s'aidant du patron et de la photo du modèle pour les positionner :
  - les couronnes avec picots
  - la couronne avec pétales
- Détacher la dentelle de son support en coupant au cutter (ou aux ciseaux fins) les fils blancs qui maintiennent la trace sur son support. Retirer les fils blancs (avec une pince à écharde) qui restent accrochés à la dentelle pour qu'elle soit bien nette.

Explanations

- *Transfer the pattern on tracing paper*
- *Prepare the multilayer deck*
- *Prepare the outline (trace):*
  - *Sew the outline trace with a sewing machine or position it by hand using the couching method with DMC thread folded in two*
  - *Position with pins the multilayer deck on the tombolo*
- *Start the guipure stitches with the lace thread*
  - *Fill in the motifs with guipure stitches including sacola et tondo (see photo and pattern below)*
  - *The order in which stitches are made is indifferent*
- *Add Venice point lace with lace thread in the form of small decorated bars which link guipure areas, as indicated on the diagrams and photos*
  - *small spiders*
  - *bars with stars*
  - *bars with small knots*
- *Add the raised work on the outline with the lace thread using cordonnet stitch for fine outlines, or buttonhole stitch for thicker outlines (see photo below)*
- *Buttonhole the outside contour (see photo below)*
- *Finally add with the lace thread the decorations (see pattern for each type of decoration)*
  - *Small arcs with picots*
  - *Small couronnes (with picots or with petals)*
- *Release the lace from the supporting multilayer deck using sharp scissors or blade*
  - *Remove remaining white thread with fine pliers so that the lace is neat.*

Miniatures byzantines
Byzantine miniatures

- Fils pour la dentelle : Aurifil n°100, co-Fils pour la dentelle : Fils de coton DMC tubino Creative World (voir sites en fin de livre)
- Fil DMC blanc n°40 pour fixer la trace et pour le fil auxiliaire des picots
- Aiguille n°8
- Plastique transparent de couleur si possible
- Papier kraft ou papier blanc usuel
- Tissu en coton pour le dos du millefeuille
- Tombolo (facultatif)
- Cadre en mosaïques *(voir adresses en fin de livre)*

Patron réduit à 70 % de la taille réelle | Patron taille réelle | Patron taille réelle

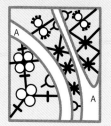

Légendes patrons
Caption pattern

Guipure : *A = Sacola clair*
Guipure : *A = Light sacola*

Points de Venise :
Venice needlepoint :

 Petite araignée
Small spider

 Bride à 3 branches
Three branc bars

Guipure : *A = Sacola clair, B = Tondo*
Guipure : *A = Light sacola , B = Tondo*

Points de Venise :
Venice needlepoint :

 Bride à 3 branches
Three branc bars

 Petite araignée
Small spider

 Picot
Picot

Guipure : *A = Sacola fin*
Guipure : *A = Fine sacola*

Points de Venise :
Venice needlepoint :

 Petite rose
Small rose

Petite araignée
Small spider

Etoile
Star

Picot
Picot

Material

- *Lace floss : Cotton DMC sewing thread "Creative World", several choices of colors (see website at end of book)*
- *Thread DMC n°40 for outline design (trace), to stitch the thread in the multilayer deck, and the auxiliary thread for the picots*
- *Needle n°8*
- *Plastic color film*
- *Brown or white paper*
- *Cotton fabric for backing of multilayer deck*
- *Tombolo (optional)*

Points utilisés

- Points de guipure : sacola fin et clair, tondo
- Point de Venise : picots, brides ornées, brides à 3 branches, étoiles, petites roses.
- Comme seul ornement, j'ai choisi de petits arceaux picotés placés sur certaines brodes.

Stitches in the project
(see technical section)

- *Guipure stitches (sacola fine and light, tondo)*
- *Venice Needlepoint (picots, decorated bars, little roses, bars with stella, bars with 3 branches)*
- *Decorations on top of lace (small arcs with picots)*

J'ai choisi des mosaïques byzantines pour contenir des miniatures de paysage avec iris, libellule et feuilles. Ces mosaïques existent à Venise depuis le Moyen-âge et sont fabriquées par des artisans qui utilisent la pâte de verre pour créer de minuscules tesselles qui sont posées délicatement sur un support.

I selected byzantine mosaics with flower, leaves and dragonfly miniatures in needle lace. Mosaics exist in Venice since the Middle Age and are crafted with glass tessels on copper enamel.

Explications

- Décalquer le modèle.
- Créer le millefeuille.
- Réaliser la trace :
  - Piquer la trace à la machine ou la poser à la main en suivant les contours du dessin avec le fil DMC blanc en double.
  - Installer le millefeuille sur le tombolo.
- Réaliser la guipure avec le fil à dentelle en suivant le patron et la photo du modèle. L'ordre de réalisation des points de guipure est indifférent.
- Réaliser le point de Venise avec le fil à dentelle en suivant le patron et la photo du modèle pour les positionner :
  - les brides à trois branches
  - les étoiles
  - petites araignées
  - les petites roses
  - les picots
- Poser les brodes (relief sur les contours) avec le fil à dentelle : au point de surjet pour les reliefs fins, ou au point de feston pour les reliefs plus épais en suivant la photo du modèle.
- Réaliser les ornements avec le fil à dentelle, en s'aidant du patron et de la photo du modèle pour les positionner :
  - petits arceaux avec picots
- Festonner le contour extérieur avec le fil à dentelle en suivant la photo du modèle.
- Détacher la dentelle de son support en coupant au cutter (ou aux ciseaux fins) les fils blancs qui maintiennent la trace sur son support. Retirer les fils blancs (avec une pince à écharde) qui restent accrochés à la dentelle pour qu'elle soit bien nette.

Explanations

- *Transfer the pattern on tracing paper*
- *Prepare the multilayer deck*
- *Prepare the outline (trace):*
  - *Sew the outline trace with a sewing machine or position it by hand using the couching method with DMC thread folded in two*
  - *Position with pins the multilayer deck on the tombolo*
- *Start the guipure stitches with the lace thread*
  - *ill in the motifs with guipure stitches including sacola, greco, tondo (see photo and patterns below)*
  - *The order in which stitches are made is indifferent*
- *Add Venice point lace with lace thread in the form of small decorated bars which link guipure areas, as indicated on the patterns and photos :*
  - *Bars with stars*
  - *Three branch bars*
  - *Decorated bars*
  - *Little roses*
  - *Picots*
- *Add the raised work on the outline with the lace thread using cordonnet stitch for fine outlines, or buttonhole stitch for thicker outlines (see photo below)*
- *Buttonhole the outside contour (see photo below)*
- *Finally add with the lace thread the decorations (see pattern for each type of decoration) :*
  - *small arcs with picot*
- *Release the lace from the supporting multilayer deck using sharp scissors or blade*
  - *Remove remaining white thread with fine pliers so that the lace is neat.*

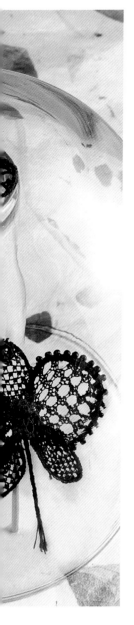

Papillons en dentelle

*L*es papillons sont typiques de l'art dentellier sur l'île de Burano. Ils sont souvent magnifiquement réalisés et présentent de nombreux points et astuces techniques. Les papillons se prêtent bien aux réalisations en dentelle de Venise et peuvent être montés en broches.

Lace butterflies

*B*utterflies are typical motifs of lace art on the Island of Burano. They are often beautifully made including a wide variety of stitches and technically astute. Venice needle lace is well employed in butterflies and may be mounted as textile jewels brooches.

Papillons blancs
White Butterflies

Ces papillons ont été réalisés par les dentellières de Burano
These lace butterflies were made by Burano lacemakers

Matériel

- Fils pour la dentelle : Fils de coton DMC blanc
- Fil DMC blanc n°40 pour trace, pour fixer la trace et pour le fil auxiliaire des picots
- Aiguille n°8
- Plastique transparent de couleur si possible
- Papier kraft ou papier blanc usuel
- Tissu en coton pour le dos du millefeuille
- Tombolo (facultatif)

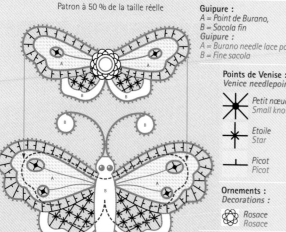

Légende patron du papillon n°2
Caption pattern n°2

Patron à 50 % de la taille réelle

Guipure :
A = Point de Burano,
B = Sacola fin
Guipure :
A = Burano needle lace point, B = Fine sacola

Points de Venise :
Venice needlepoint :

⊥ Picot
Picot

Ornements :
Decorations :

✽ Rosace
Rosace

Cordonnets garnis ou au point de bourdon avec des picots
Cordonnet or bourdon stitch with picots

Légende patron du papillon n°1
Caption pattern n° 1

Patron à 50 % de la taille réelle

Guipure :
A = Point de Burano,
B = Sacola fin
Guipure :
A = Burano needle lace point
B = Fine sacola

Points de Venise :
Venice needlepoint :

✳ Petit nœud
Small knot

✳ Etoile
Star

⊥ Picot
Picot

Ornements :
Decorations :

✽ Rosace
Rosace

Cordonnets garnis ou au point de bourdon avec des picots
Cordonnet or Bourdon needle lace point with picots

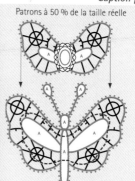

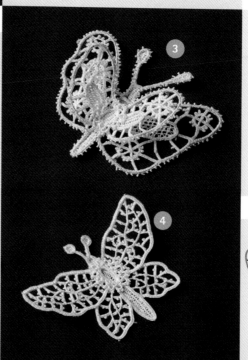

Légende patron du papillon n°3
Caption pattern n°3

Patrons à 50 % de la taille réelle

Guipure : A = Sacola fin
Guipure : A = Fine sacola

Points de Venise :
Venice needlepoint :

⊥ Picot
Picot
✱ Rosette
Rosette

Ornements :
Decorations :
✽ Rosace
Rosace

Cordonnets garnis ou au point de bourdon avec des picots
Xxxxxxxx

Légende patron du papillon n°4
Caption pattern n°4

Patron à 50 % de la taille réelle

Guipure : A = Sacola fin
Guipure : A = Fine sacola

Points de Venise :
Venice needlepoint :
⊥ Picot
Picot

Ornements :
Decorations
✽ Rosac
Rosac

Cordonnets garnis au point de surjet ou au point de bourdon
Cordonnet or continous stitch or bourdon needle lace point.

Material

- *Lace floss : white cotton DMC (see website at end of book)*
- *Thread DMC n°40 for outline design (trace), to stitch the thread in the multilayer deck, and the auxiliary thread for the picots*
- *Needle n°8*
- *Plastic color film*
- *Brown or white paper*
- *Cotton fabric for backing of multilayer deck*
- *Tombolo (optional)*

Points utilisés

- Points de guipure : sacola fin, point de Burano
- Points de Venise : picots, rosettes, petits nœuds, étoiles
- Ornements : rosaces

Stitches in the project
(see technical section)

- *Guipure stitches sacola fin, Burano stitch*
- *Venice Needlepoints (picots, bars with rosettes, bars with stars, bars with small knots)*
- *Decorations on top of lace : rosaces*

Explications

- Créer le millefeuille.
- Réaliser la trace :
  - Piquer la trace à la machine ou la poser à la main en suivant les contours du dessin avec le fil DMC blanc en double.
  - Installer le millefeuille sur le tombolo.
- Réaliser la guipure avec le fil à dentelle en suivant le patron et la photo du modèle. L'ordre de réalisation des points de guipure est indifférent.
- Réaliser le point de Venise avec le fil à dentelle en suivant le patron et la photo du modèle pour les positionner :
  - Les étoiles
  - les picots
  - les petits nœuds
  - les rosettes
- Poser les brodes (relief sur les contours) avec le fil à dentelle : au point de surjet pour les reliefs fins, ou au point de feston pour les reliefs plus épais en suivant la photo du modèle.
- Festonner le contour extérieur avec le fil à dentelle en suivant la photo du modèle.
- Réaliser les ornements avec le fil à dentelle, en s'aidant du patron et de la photo du modèle pour les positionner :
  - les rosaces
- Détacher la dentelle de son support en coupant au cutter (ou aux ciseaux fins) les fils blancs qui maintiennent la trace sur son support. Retirer les fils blancs (avec une pince à écharde) qui restent accrochés à la dentelle pour qu'elle soit bien nette.

Explanations

- *Transfer the pattern on tracing paper.*
- *Prepare the multilayer deck*
- *Prepare the outline (trace):*
  - *Sew the outline trace with a sewing machine or position it by hand using the couching method with DMC thread folded in two.*
  - *Position with pins the multilayer deck on the tombolo*
  - *Start the guipure stitches with the lace thread*
  - *Fill in the motifs with guipure stitches (see photos and patterns below)*
  - *The order in which stitches are made is indifferent*
- *Add Venice point lace with lace thread in the form of small decorated bars which link guipure areas, as indicated on the diagrams and photos*
  - *Bars with stars*
  - *Picots*
  - *Bars with rosettes*
  - *Bars with small knots*
- *Add the raised work on the outline with the lace thread using cordonnet stitch for fine outlines, or buttonhole stitch for thicker outlines (see photo below)*
- *Buttonhole the outside contour (see photo below)*
- *Finally add with the lace thread the decorations (see patterns for each type of decoration)*
  - *Rosaces*
- *Release the lace from the supporting multilayer deck using sharp scissors or blade*
  - *Remove remaining white thread with f ine pliers so that the lace is neat.*

Papillons Art-Déco
Art Deco Butterflies

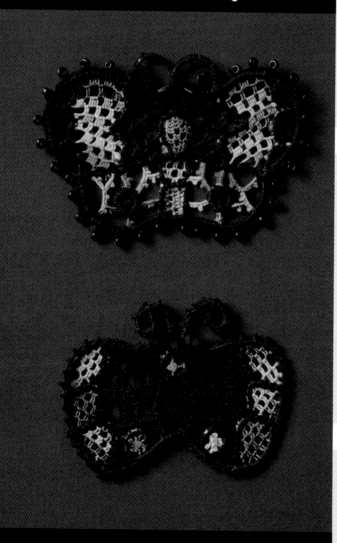

Patrons à taille réelle

Légende patron
Caption pattern

Guipure :
A = Greco
B = Sacola clair
C = Sacola fin

Guipure :
A = Greco
B = Light sacola
C = Fine sacola

Points de Venise :
Venice needlepoint :

⊥ Picot
Picot

✳ Etoile
Star

Ornements :
Decorations :

◎ Couronne
Couronne

●●● Perles
Perles

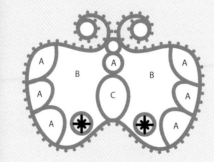

Légende patron
Caption pattern

Guipure : A = Greco,
B = Tondo, C = Sacola fin
Guipure : A = Greco,
B = Tondo, C = Fine sacola

Points de Venise :
Venice needlepoint : ✳ Etoile
Star

〜〜〜 Cordonnets garnis ou au point de bourdon avec des picots
Cordonnet or bourdon stitch with picots

Matériel

- Fils pour la dentelle : Fils soies Phénix de couleur *(voir sites en fin de livre)*
- Fil DMC blanc n°40 pour fixer la trace et pour le fil auxiliaire des picots
- Aiguille n°8
- Plastique transparent de couleur si possible
- Papier kraft ou papier blanc usuel
- Tissu en coton pour le dos du millefeuille
- Tombolo (facultatif)

Material

- *Lace floss : Phenix silk, several choices of colors (see website at end of book)*
- *Thread DMC n°40 for outline design (trace), to stitch the thread in the multilayer deck, and the auxiliary thread for the picots*
- *Needle n°8*
- *Plastic color film*
- *Brown or white paper*
- *Cotton fabric for backing of multilayer deck*
- *Tombolo (optional)*

Points utilisés

- Points de guipure : sacola clair, sacola fin, greco, tondo
- Points de Venise : étoiles, picots
- Ornements : couronnes

Stitches in the project
(see technical section)

- Guipure stitches (sacola light, fine sacola, greco tondo)
- Venice Needlepoint (bars with stars, picots)
- Decorations on top of lace couronnes

Les modèles que je vous propose dérivent de l'art contemporain. Cette forme facile à reproduire permet une liberté d'interprétation et un jeu sur les couleurs infinis.
Pour ces papillons, ce sont des bijoux de l'exposition Klimt de 2012 au Palais Correr de la place Saint-Marc à Venise, qui ont été ma source d'inspiration. J'ai choisi une différenciation marquée par rapport aux papillons blancs de Burano en choisissant des fils de soie noire et des couleurs contrastées.

These projects derive from Contemporary Art, all in color, interpreted in freedom form. These color butterflies were inspired by jewels seen in the 2012 Klimt exhibition in the Correr Palace of the Saint Marc's place. I chose a distance from the actual Burano white lace butterflies with many contrast silk lace such as orange and black.

Explications

- Décalquer le modèle.
- Créer le millefeuille.
- Réaliser la trace :
  - Piquer la trace à la machine ou la poser à la main en suivant les contours du dessin avec le fil DMC blanc en double.
  - Installer le millefeuille sur le tombolo.
- Réaliser la guipure avec le fil à dentelle en suivant le patron et la photo du modèle. L'ordre de réalisation des points de guipure est indifférent.
- Réaliser le point de Venise avec le fil à dentelle en suivant le patron et la photo du modèle pour les positionner :
  - les étoiles
  - les picots
- Poser les brodes (relief sur les contours) avec le fil à dentelle : au point de surjet pour les reliefs fins, ou au point de feston pour les reliefs plus épais.
- Festonner le contour extérieur avec le fil à dentelle, en s'aidant de la photo du modèle.
- Réaliser les ornements avec le fil à dentelle, en s'aidant du patron et de la photo du modèle pour les positionner :
  - Les couronnes
- Détacher la dentelle de son support en coupant au cutter (ou aux ciseaux fins) les fils blancs qui maintiennent la trace sur son support. Retirer les fils blancs (avec une pince à écharde) qui restent accrochés à la dentelle pour qu'ellesoit bien nette.

Explanations

- *Transfer the pattern on tracing paper*
- *Prepare the multilayer deck*
- *Prepare the outline (trace):*
  - *Sew the outline trace with a sewing machine or position it by hand using the couching method with DMC thread folded in two*
  - *Position with pins the multilayer deck on the tombolo*
- *Start the guipure stitches with the lace thread*
  - *Fill in the motifs with guipure stitches including sacola, greco et tondo (see photo and patterns below)*
  - *The order in which stitches are made is indifferent*
- *Add Venice point lace with lace thread in the form of small decorated bars which link guipure ares, as indicated on the patterns and photos*
  - *Bars with stars*
  - *picots*
- *Add the raised work on the outline with the lace thread using cordonnet stitch for fine outlines, or buttonhole stitch for thicker outlines (see photo below)*
- *Buttonhole the outside contour (see photo below)*
- *Finally add with the lace thread the decorations (see patterns for each type of decoration)*
  - *Couronnes*
- *Release the lace from the supporting multilayer deck using sharp scissors or blade*
  - *Remove remaining white thread with fine pliers so that the lace is neat.*

Papillons colorés
Coloured butterflies

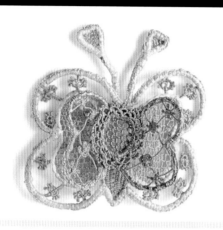

Légendes patrons
Caption patterns

Patron à 70 % de la taille réelle

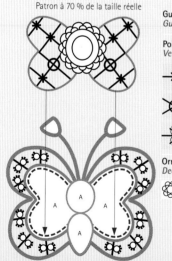

Guipure : A = Sacola fin
Guipure : A = Fine sacola

Points de Venise :
Venice needlepoint :

✳ Etoile
Star

✺ Rosette
Rosette

🕷 Petite araignée
Small spider

Ornements :
Decorations :

✿ Rosace
Rosace

Patron à 70 % de la taille réelle

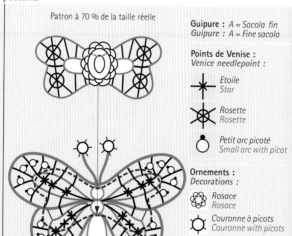

Guipure : A = Sacola fin
Guipure : A = Fine sacola

Points de Venise :
Venice needlepoint :

✳ Etoile
Star

✺ Rosette
Rosette

◓ Petit arc picoté
Small arc with picot

Ornements :
Decorations :

✿ Rosace
Rosace

☼ Couronne à picots
Couronne with picots

〰 Petits arcs picotés
Small arcs with picots

Matériel

- Fils pour la dentelle : Fils soies Phénix de couleur *(voir sites en fin de livre)*
- Fil DMC blanc n°40 pour fixer la trace et pour le fil auxiliaire des picots
- Aiguille n°8
- Plastique transparent de couleur si possible
- Papier kraft ou papier blanc usuel
- Tissu en coton pour le dos du millefeuille
- Tombolo (facultatif)

Material

- Lace floss: Phenix silk, several choices of colors (see website at end of book)
- Thread DMC n°40 for outline design (trace), to stitch the thread in the multilayer deck, and the auxiliary thread for the picots
- Needle n°8
- Plastic color film
- Brown or white paper
- Cotton fabric for backing of multilayer deck
- Tombolo (optional)

Points utilisés

- Points de guipure : sacola fin
- Points de Venise : rosettes, étoiles, petites araignées, arcs picotés.
- Ornements : couronnes à picots, rosaces

Stitches in the project
(see technical section)

- *Guipure stitches (sacola fine)*
- *Venice needlepoint (bars with stars and rosettes, small spiders, smal arcs with picots)*
- *Decorations on top of lace rosace, couronnes with picots*

Explications

- Décalquer le patron choisi.
- Créer le millefeuille.
- Réaliser la trace :
  - Piquer la trace à la machine ou la poser à la main en suivant les contours du dessin avec le fil DMC blanc en double.
  - Installer le millefeuille sur le tombolo.
- Réaliser la guipure avec le fil à dentelle en s'aidant du patron et de la photo du modèle. L'ordre de réalisation des points de guipure est indifférent.
- Réaliser le point de Venise avec le fil à dentelle en suivant le patron et la photo du modèle pour les positionner :
  - les rosettes
  - les étoiles
  - Les petites araignées
  - Les petits arcs picotés
- Poser les brodes (relief sur les contours) avec le fil à dentelle : au point de surjet pour les reliefs fins, ou au point de feston pour les reliefs plus épais.
- Festonner le contour extérieur avec le fil à dentelle en vous aidant de la photo du modèle.
- Réaliser les ornements avec le fil à dentelle en vous aidant du patron et de la photo du modèle pour les positionner :
  - Rosace du point de rose au centre des motifs
  - les couronnes à picots
- Détacher la dentelle de son support en coupant au cutter (ou aux ciseaux fins) les fils blancs qui maintiennent la trace sur son support. Retirer les fils blancs (avec une pince à écharde) qui restent accrochés à la dentelle pour qu'elle soit bien nette.

Explanations

- *Transfer the pattern on tracing paper*
- *Prepare the multilayer deck*
- *Prepare the outline (trace):*
  - *Sew the outline trace with a sewing machine or position it by hand using the couching method with DMC thread folded in two*
  - *Position with pins the multilayer deck on the tombolo*
- *Start the guipure stitches with the lace thread*
  - *Fill in the motifs with guipure stitches including sacola (see photo and patterns below)*
  - *The order in which stitches are made is indifferent*
- *Add Venice point lace with lace thread in the form of small decorated bars which link guipure areas, as indicated on the diagrams and photos*
  - *Bars with rosettes*
  - *Bars with stars*
  - *Small spiders*
  - *Small arcs with picots*
- *Add the raised work on the outline with the lace thread using cordonnet stitch for fine outlines, or buttonhole stitch for thicker outlines (see photo below)*
- *Buttonhole the outside contour (see photo below)*
- *Finally add with the lace thread the decorations (see patterns for each type of decoration)*
  - *Small roses: rose point lace*
  - *Couronnes with picots*
- *Release the lace from the supporting multilayer deck using sharp scissors or blade*
  - *Remove remaining white thread with fine pliers so that the lace is neat.*

Papillon libellule
Dragonfly Butterfly

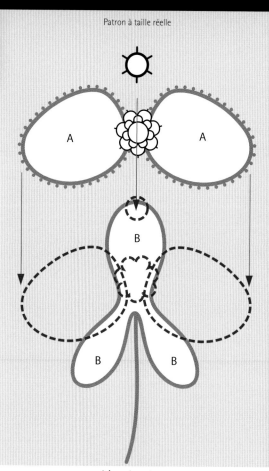

A   A

B

B   B

Légende patron
Caption pattern

Guipure : A = Tondo, B = Greco
Guipure : A = Tondo, B = Greco

Ornements :
Decorations :

 Couronne à picots
Couronne

 Rosace
Rosace

 Perles
Pearls

Matériel

- Fils pour la dentelle : Fils soies Phénix de couleur *(voir sites en fin de livre)*
- Fil DMC blanc n°40 pour fixer la trace et pour le fil auxiliaire des picots
- Aiguille n°8
- Plastique transparent de couleur si possible
- Papier kraft ou papier blanc usuel
- Tissu en coton pour le dos du millefeuille
- Tombolo (facultatif)

Material

- *Lace floss: Phenix silk, several choices of colors (see website at end of book)*
- *Thread DMC n°40 for outline design (trace), to stitch the thread in the multilayer deck, and the auxiliary thread for the picots*
- *Needle n°8*
- *Plastic color film*
- *Brown or white paper*
- *Cotton fabric for backing of multilayer deck*
- *Tombolo (optional)*

Points utilisés

- Points de guipure : greco, tondo
- Ornements : couronnes à picots, rosace

Stitches in the project
(see technical section)

- *Guipure stitches (greco, tondo)*
- *Decoration on top of lace (Couronnes with picots, rosaces)*

Explications

- Décalquer le patron choisi.
- Créer le millefeuille.
- Réaliser la trace :
  - Piquer la trace à la machine ou la poser à la main en suivant les contours du dessin avec le fil DMC blanc en double.
  - Installer le millefeuille sur le tombolo.
- Réaliser la guipure avec le fil à dentelle en s'aidant du patron et de la photo du modèle. L'ordre de réalisation des points de guipure est indifférent.
- Poser les brodes (relief sur les contours) avec le fil à dentelle : au point de surjet pour les reliefs fins, ou au point de feston pour les reliefs plus épais.
- Festonner le contour extérieur avec le fil à dentelle en vous aidant de la photo du modèle.
- Réaliser les ornements avec le fil à dentelle en vous aidant du patron et de la photo du modèle pour les positionner :
  - Les couronnes à picots
  - Les rosaces
- Détacher la dentelle de son support en coupant au cutter (ou aux ciseaux fins) les fils blancs qui maintiennent la trace sur son support. Retirer les fils blancs (avec une pince à écharde) qui restent accrochés à la dentelle pour qu'elle soit bien nette.

Explanations

- *Transfer the pattern on tracing paper*
- *Prepare the multilayer deck*
- *Prepare the outline (trace):*
  - *Sew the outline trace with a sewing machine or position it by hand using the couching method with DMC thread folded in two*
  - *Position with pins the multilayer deck on the tombolo*
- *Start the guipure stitches with the lace thread*
  - *Fill in the motifs with guipure stitches including tondo, greco (see photo and pattern below)*
  - *The order in which stitches are made is indifferent*
- *Add the raised work on the outline with the lace thread using cordonnet stitch for fine outlines, or buttonhole stitch for thicker outlines (see photo below)*
- *Buttonhole the outside contour (see photo below)*
- *Finally add with the lace thread the decorations (see patterns for each type of decoration)*
  - *Couronnes with picots*
  - *Rosaces*
- *Release the lace from the supporting multilayer deck using sharp scissors or blade*
  - *Remove remaining white thread with fine pliers so that the lace is neat.*

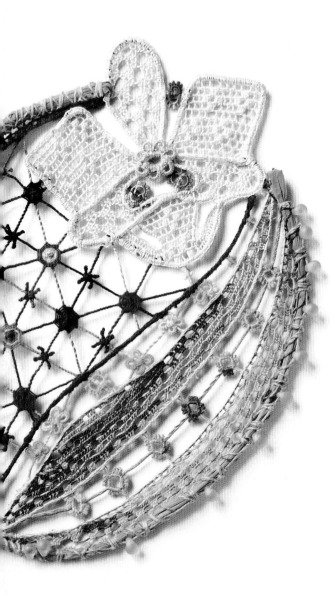

Les orchidées

Les orchidées se prêtent bien à l'interprétation en dentelle en raison de leur mystérieuse structure proche des créations dentellières végétales des temps anciens. En revoyant certains motifs anciens, on peut d'ailleurs se demander si les Vénitiennes du XVIIIème siècle auraient eu la possibilité de voir des orchidées et de vouloir les reproduire en dentelle.

L'histoire de la dentelle de Venise fait plutôt état d'une inspiration marine, lagunaire, avec la reproduction de motifs en forme de coraux. Pourtant, au lieu de coraux, il n'est pas impossible que des fleurs exotiques aient pu transiter à Venise, à l'époque de son apogée, lorsque les navires marchands en provenance de l'Orient rapportaient leurs fabuleuses marchandises.

Ainsi, des fleurs exotiques seraient peut-être représentées sans que nous le sachions dans les motifs dentelliers que nous retrouvons aujourd'hui.

Voici quelques exemples traités en couleur pouvant servir de motifs décoratifs vestimentaires ou à encadrer.

Orchid flowers

O rchid flowers are an opportunity for lace interpretation due to their mysterious structure close to floral lace creations from the ancient times and to the freedom in color selection.

When revisiting ancient pieces, one may wonder if Venitian lacemakers from the XVIIIth century would have had the opportunity to actually see exotic orchid flowers and decide to recreate these in lace. The history of Venice needle lace relates more likely a deep sea inspiration due to the laguna including motifs in the form of coral and sea weed. However, instead of coral, it may be possible that exotic flowers were transiting in Venice, at the time of its apogee, when commercial ships coming from the East were transporting fabulous merchandises.

Foreign exotic flowers may be represented and reinterpreted in lace without our full understanding or knowledge of how this may have happened in the past. In this section are some examples of lace orchids in color which may be used to decorate clothes, or to be framed.

Orchidée masdevallia
Orchid Masdevallia

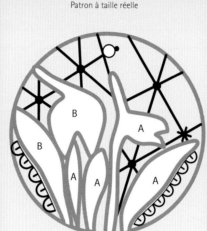

Légende patron
Caption pattern

Guipure : A = Sacola fin, B = Tondo
Guipure : A = Fine Sacola , B = Tondo

Points de Venise :
Venice needlepoint :

✳ Petit nœud
   Small knot

 Petit arc picoté
   Small arc with picot

✳ Etoile
   Star

Ornements :
Decorations :

Petits arcs picotés
Small arcs with picots

Matériel

- Fil pour dentelle, soie de Valdani *(voir en fin d'ouvrage pour les adresses)*
- Fil DMC blanc n°40 pour fixer la trace et pour le fil auxiliaire des picots
- Aiguille n°8
- Plastique transparent de couleur si possible
- Papier kraft ou papier blanc usuel
- Tissu en coton pour le dos du millefeuille
- Tombolo (facultatif)

Material

- *Lace floss : Valdani silk floss, several choices of colors (see website at end of book)*
- *Thread DMC n°40 for outline design (trace), to stitch the thread in the multilayer deck, and the auxiliary thread for the picots*
- *Needle n°8*
- *Plastic color film*
- *Brown or white paper*
- *Cotton fabric for backing of multilayer deck*
- *Tombolo (optional)*

Points utilisés

- Points de guipure : sacola fin, tondo
- Points de Venise : étoiles, petits nœuds, petit arc picoté
- Ornements : petits arcs picotés

Stitches in the project
(see technical section)

- *Guipure stitches (sacola fine , tondo)*
- *Venice needlepoint (bars with stars, bars with little knots, small arc with picots)*
- *Decorations on top of lace small arcs with picots*

Explications

- Décalquer le modèle.
- Créer le millefeuille.
- Réaliser la trace :
  - Piquer la trace à la machine ou la poser à la main en suivant les contours du dessin avec le fil DMC blanc en double.
  - Installer le millefeuille sur le tombolo.
- Réaliser la guipure avec le fil à dentelle en suivant le patron. L'ordre de réalisation des points de guipure est indifférent.
- Réaliser le point de Venise avec le fil à dentelle en suivant le patron et en vous aidant de la photo du modèle pour les positionner :
  - les petits nœuds
  - les étoiles
  - Petit arc picoté
- Poser les brodes (relief sur les contours) avec le fil à dentelle : au point de surjet pour les reliefs fins, ou au point de feston pour les reliefs plus épais selon la photo du modèle.
- Festonner le contour extérieur avec le fil à dentelle en suivant la photo du modèle.
- Réaliser les ornements avec le fil à dentelle en suivant le patron et la photo dumodèle pour les positionner :
  - petits arcs picotés le long des tiges
- Détacher la dentelle de son support en coupant au cutter (ou aux ciseaux fins) les fils blancs qui maintiennent la trace sur son support. Retirer les fils blancs (avec une pince à écharde) qui restent accrochés à la dentelle pour qu'elle soit bien nette.

Explanations

- *Transfer the pattern on tracing paper*
- *Prepare the multilayer deck*
- *Prepare the outline (trace):*
  - *Sew the outline trace with a sewing machine or position it by hand using the couching method with DMC thread folded in two*
  - *Position with pins the multilayer deck on the tombolo*
- *Start the guipure stitches with the lace thread*
  - *Fill in the motifs with guipure stitches (see photo and pattern below)*
  - *The order in which stitches are made is indifferent*
- *Add Venice point lace with lace thread in the form of small decorated bars which link guipure areas, as indicated on the diagrams and photos*
  - *Bars with small knots*
  - *Bars with stars*
  - *Small arc with picots*
- *Add the raised work on the outline with the lace thread using cordonnet stitch for fine outlines, or buttonhole stitch for thicker outlines (see photo below)*
- *Buttonhole the outside contour (see photo below)*
- *Finally add with the lace thread the decorations (see patterns for each type of decoration)*
  - *Small arcs with picots*
- *Release the lace from the supporting multilayer deck using sharp scissors or blade*
  - *Remove remaining white thread with fine pliers so that the lace is neat.*

Orchidée maclellanara
Orchid Maclellanara

Patron à 60 % de la taille réelle

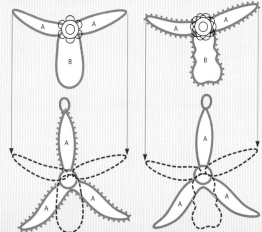

Légende patron
Caption pattern

Guipure : A = Greco, B = Tondo
Guipure : A = Greco, B = Tondo

Ornements :
Decorations :

Rosace
Rosace

Matériel

- Fils pour la dentelle : fil « Cocon de calais » Sajou, couleurs au choix *(voir sites en fin de livre)*
- Fil DMC blanc n°40 pour fixer la trace
- Aiguille n°8
- Plastique transparent de couleur si possible
- Papier kraft ou papier blanc usuel
- Tissu en coton pour le dos du millefeuille
- Tombolo (facultatif)

Material

- *Lace floss : Thread « Cocon de calais » Sajou, several choices of colors (see website at end of book)*
- *Thread DMC n°40 for outline design (trace), to stitch the thread in the multilayer deck*
- *Needle n°8*
- *Plastic color film*
- *Brown or white paper*
- *Cotton fabric for backing of multilayer deck*
- *Tombolo (optional)*

Points utilisés

- Points de guipure : greco, tondo
- Il n'y a pas de point de Venise proprement dit dans ce modèle car il n'y a pas de brides qui relient les différents points de guipure
- Ornements : rosace caractéristique de la dentelle de Venise.

Stitches in the project
(see technical section)

- *Guipure stitches (greco, tondo)*
- *Decorations on top of lace (rosace)*

Explications

- Décalquer le modèle.
- Créer le millefeuille.
- Réaliser la trace :
  - Piquer la trace à la machine ou la poser à la main en suivant les contours du dessin avec le fil DMC blanc en double.
  - Installer le millefeuille sur le tombolo.
- Réaliser la guipure avec le fil à dentelle en suivant le patron et la photo du modèle. L'ordre de réalisation des points de guipure est indifférent.
- Poser les brodes (relief sur les contours) avec le fil à dentelle : au point de surjet pour les reliefs fins, ou au point de feston pour les reliefs plus épais.
- Festonner le contour extérieur avec le fil à dentelle, selon la photo du modèle.
- Réaliser les ornements avec le fil à dentelle en suivant le patron et la photo du modèle pour les positionner :
  - Rosace du point de rose disposée au-dessus des fleurs.
- Détacher la dentelle de son support en coupant au cutter (ou aux ciseaux fins) les fils blancs qui maintiennent la trace sur son support. Retirer les fils blancs (avec une pince à écharde) qui restent accrochés à la dentelle pour qu'elle soit bien nette.

Explanations

- *Transfer the pattern on tracing paper*
- *Prepare the multilayer deck*
- *Prepare the outline (trace):*
  - *Sew the outline trace with a sewing machine or position it by hand using the couching method with DMC thread folded in two*
  - *Position with pins the multilayer deck on the tombolo*
- *Start the guipure stitches with the lace thread*
  - *Fill in the motifs with guipure stitches (see photo and pattern below)*
  - *The order in which stitches are made is indifferent*
- *Add the raised work on the outline with the lace thread using cordonnet stitch for fine outlines, or buttonhole stitch for thicker outlines (see photo below)*
- *Buttonhole the outside contour (see photo below)*
- *Finally add with the lace thread the decorations (see pattern for each type of decoration)*
- *- Small roses: rose point lace*
- *Release the lace from the supporting multilayer deck using sharp scissors or blade*
  - *Remove remaining white thread with fine pliers so that the lace is neat.*

Orchidée brassavola
Orchidée Brassavola

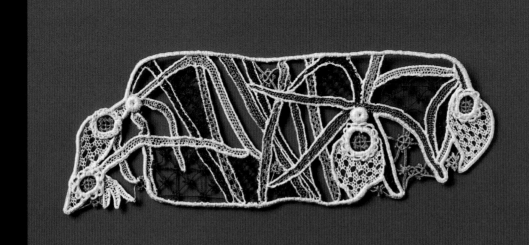

Patron à 50 % de la taille réelle

Légende patron
Caption pattern

Guipure : A = Sacola fin, B = Greco, C = Tondo
Guipure : A = Fine sacola, B = Greco, C = Tondo

Points de Venise :
Venice needlepoint :

Etoile / Star	Petit nœud / Small knot	Rosette / Rosette

Ornements :
Decorations :

 Couronne à pétales / Couronne with petals
 Couronne / Couronne

Matériel

- Fils pour la dentelle : Fils de soie Phenix, couleur au choix *(voir sites en fin de livre)*
- Fil DMC blanc n°40 pour fixer la trace et pour le fil auxiliaire des picots
- Aiguille n°8
- Plastique transparent de couleur si possible
- Papier kraft ou papier blanc usuel
- Tissu en coton pour le dos du millefeuille
- Tombolo (facultatif)

Material

- *Lace floss : Phenix silk, several choices of colors (see website at end of book)*
- *Thread DMC n°40 f or outline design (trace), to stitch the thread in the multilayer deck, and the auxiliary thread for the picots*
- *Needle n°8*
- *Plastic color film*
- *Brown or white paper*
- *Cotton fabric for backing of multilayer deck*
- *Tombolo (optional)*
- *Fine wire thread (optional)*

Points utilisés

- Points de guipure : sacola fin, greco, tondo
- Points de Venise : petits nœuds, étoiles, rosettes
- Ornements : couronne, couronne à pétales

Stitches in the project
(see technical section)

- Guipure stitches (sacola fine, greco, tondo)
- Venice needlepoint (bars with stars, bars with small knots, bars with rosettes)
- Decorations on top of lace (couronne, couronne with petals)

Explications

- Décalquer le modèle.
- Créer le millefeuille.
- Réaliser la trace :
  - Piquer la trace à la machine ou la poser à la main en suivant les contours du dessin avec le fil DMC blanc en double.
  - Installer le millefeuille sur le tombolo.
- Réaliser la guipure avec le fil à dentelle en suivant le patron et la photo du modèle. L'ordre de réalisation des points de guipure est indifférent.
- Réaliser le point de Venise avec le fil à dentelle en suivant le patron et la photo du modèle pour les positionner :
  - les rosettes
  - les étoiles
  - les petits nœuds
- Poser les brodes (relief sur les contours) avec le fil à dentelle selon la photo du modèle : au point de surjet pour les reliefs fins, ou au point de feston pour les reliefs plus épais.
- Festonner le contour extérieur avec le fil à dentelle selon la photo du modèle.
- Réaliser les ornements avec le fil à dentelle en suivant le patron et la photo du modèle pour les positionner :
  - Couronne
  - Couronne à pétales
- Détacher la dentelle de son support en coupant au cutter (ou aux ciseaux fins) les fils blancs qui maintiennent la trace sur son support. Retirer les fils blancs (avec une pince à écharde) qui restent accrochés à la dentelle pour qu'elle soit bien nette.

Explanations

- *Prepare the multilayer deck*
- *Prepare the outline (trace):*
  - *Sew the outline trace with a sewing machine or position it by hand using the couching method with DMC thread folded in two*
  - *Position with pins the multilayer deck on the tombolo*
- *Start the guipure stitches with the lace thread*
  - *Fill in the motifs with guipure stitches including sacola, greco et tondo (see photo and pattern below)*
  - *The order in which stitches are made is indifferent*
- *Add Venice point lace with lace thread in the form of small decorated bars which link guipure areas, as indicated on the diagrams and photos*
  - *Bars with stars*
  - *Bars with small knots*
  - *Bars with rosettes*
- *Add the raised work on the outline with the lace thread using cordonnet stitch for fine outlines, or buttonhole stitch for thicker outlines (see photo below)*
- *Buttonhole the outside contour (see photo below)*
- *Finally add with the lace thread the decorations (see diagrams for each type of decoration)*
  - *Small couronnes with petals*
  - *Couronnes*
- *Release the lace from the supporting multilayer deck using sharp scissors or blade*
  - *Remove remaining white thread with fine pliers so that the lace is neat.*

Orchidée angrecum
Orchidée Angrecum

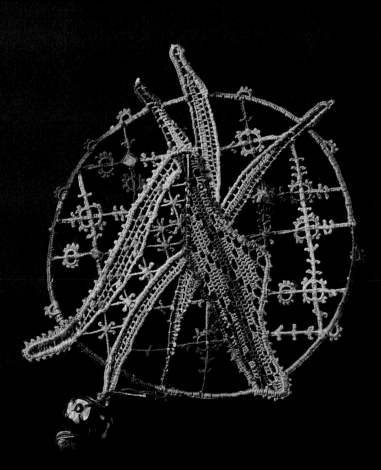

Patron à 50 % de la taille réelle

Légende patron
Caption pattern

Guipure : A = Creme 13, B = Greco,
C = Sacola fin,
Guipure : *A = Creme 13, B = Greco,*
C = Fine sacola

Points de Venise :
Venice needlepoint :

✹ Rosette
Rosette

⊥ Picot
Picot

♨ Petite araignée
Small spider

✕ Petit nœud
Small knot

✳ Etoile
Star

Ornements :
Decorations :

⌂ Petits arceaux picotés
Small arcs with picots

Matériel

- Fils pour la dentelle : fil « Cocon de calais » Sajou, couleurs au choix *(voir sites en fin de livre)*
- Fil DMC blanc n°40 pour fixer la trace et pour le fil auxiliaire des picots
- Aiguille n°8
- Plastique transparent de couleur si possible
- Papier kraft ou papier blanc usuel
- Tissu en coton pour le dos du millefeuille
- Tombolo (facultatif)

Material

- *Lace floss : Thread « Cocon de calais » Sajou, several choices of colors (see website at end of book)*
- *Thread DMC n°40 for outline design (trace), to stitch the thread in the multilayer deck, and the auxiliary thread for the picots*
- *Needle n°8*
- *Plastic color film*
- *Brown or white paper*
- *Cotton fabric for backing of multilayer deck*
- *Tombolo (optional)*

Points utilisés

- Points de guipure : sacola fin, greco, creme 13
- Points de Venise : étoiles, petites araignées, rosettes, picots, petits nœuds.
- Ornements : petits arceaux picotés

Stitches in the project
(see technical section)

- *Guipure stitches (sacola fine, Greco, creme)*
- *Venice needlepoint (bars with stars, small spiders, bars with rosettes, picots, bars with small knots)*
- *Decorations on top of lace small arcs with picots*

Explications

- Décalquer le modèle.
- Créer le millefeuille.
- Réaliser la trace :
  - Piquer la trace à la machine ou la poser à la main en suivant les contours du dessin avec le fil DMC blanc en double.
  - Installer le millefeuille sur le tombolo.
- Réaliser la guipure avec le fil à dentelle en suivant le patron. L'ordre de réalisation des points de guipure est indifférent.
- Réaliser le point de Venise avec le fil à dentelle en suivant le patron et la photo du modèle pour les positionner :
  - les picots
  - les étoiles
  - les petites araignées
  - les rosettes
  - les petits nœuds
- Poser les brodes (relief sur les contours) avec le fil à dentelle selon la photo du modèle : au point de surjet pour les reliefs fins, ou au point de feston pour les reliefs plus épais.
- Réaliser les ornements avec le fil à dentelle en suivant le patron et la photo du modèle pour les positionner :
  - les petits arceaux picotés
- Festonner le contour extérieur avec le fil à dentelle selon la photo du modèle.
- Détacher la dentelle de son support en coupant au cutter (ou aux ciseaux fins) les fils blancs qui maintiennent la trace sur son support. Retirer les fils blancs (avec une pince à écharde) qui restent accrochés à la dentelle pour qu'elle soit bien nette

Explanations

- *Transfer the pattern on tracing paper*
- *Prepare the multilayer deck*
- *Prepare the outline (trace):*
  - *Sew the outline trace with a sewing machine or position it by hand using the couching method with DMC thread folded in two*
- *- Position with pins the multilayer deck on the tombolo*
- *Start the guipure stitches with the lace thread*
  - *Fill in the motifs with guipure stitches including sacola, greco, creme (see photo and diagram of completed project)*
  - *The order in which stitches are made is indifferent*
- *Add Venice point lace with lace thread in the form of small decorated bars which link guipure areas, as indicated on the diagrams and photos*
  - *Bars with picot*
  - *Bars with stars*
  - *-bars with rosettes*
  - *Bars with small knots*
  - *Bars with small spiders*
- *Add the raised work on the outline with the lace thread using cordonnet stitch for fine outlines, or buttonhole stitch for thicker outlines (see photo below)*
- *Buttonhole the outside contour (see photo below)*
- *Finally add with the lace thread the decorations (see diagrams for each type of decoration)*
  - *Small arcs with picots*
- *Release the lace from the supporting multilayer deck using sharp scissors or blade*
  - *Remove remaining white thread with fine pliers so that the lace is neat.*

Orchidée phalenopsis
Orchidée Phalenopsis

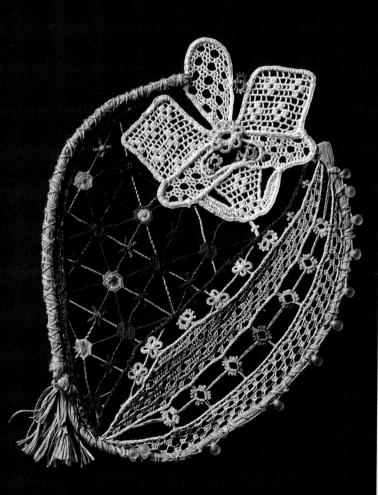

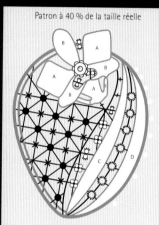

Patron à 40 % de la taille réelle

Légende patron
Caption pattern

Guipure : A = Sacola clair, B = tondo,
C : Creme, D = Greco, E = Sacola fin
Guipure : A = Light sacola, B = tondo,
C : Creme, D = Greco, E = Fine sacola

Points de Venise :
Venice needlepoint :

⚲	Petit nœud *Small knot*	⊥	Picot *Picot*
⚘	Petite araignée *Small spider*	✕	Petite rose *Small rose*
✳	Etoile *Star*	☀	Petite rose à picots *Small rose with picots*

Ornement :
Decoration :

✿	Couronne à pétales *Couronne with petals*

Matériel

- Fils pour la dentelle : fil « Cocon de calais » Sajou, couleurs au choix *(voir sites en fin de livre)*
- Fil DMC blanc n°40 pour fixer la trace et pour le fil auxiliaire des picots
- Aiguille n°8
- Plastique transparent de couleur si possible
- Papier kraft ou papier blanc usuel
- Tissu en coton pour le dos du millefeuille
- Tombolo (facultatif)

Material

- *Lace floss : Thread « Cocon de calais » Sajou, several choices of colors (see website at end of book)*
- *Thread DMC n°40 for outline design (trace), to stitch the thread in the multilayer deck, and the auxiliary thread for the picots*
- *Needle n°8*
- *Plastic color film*
- *Brown or white paper*
- *Cotton fabric for backing of multilayer deck*
- *Tombolo (optional)*

Points utilisés

- Points de guipure : sacola fin et clair, greco, creme, tondo
- Points de Venise : petit nœud, étoile, petite rose à picots, petite araignée, picot
- Ornements : couronne à pétales

Stitches in the project
(see technical section)

- *Guipure stitches (sacola fine and light, greco, creme, tondo)*
- *Venice needlepoint (Bars with small knots, with stars, with small roses with picots, small spiders, picots)*
- *Decorations on top of lace couronnes with petals*

Les orchidées phalenopsis tirent leur nom du grec *phalaina*, « papillon de nuit » car elles ressemblent à un envol de papillons.

Orchid phalenopsis has a name which originates from the greek word phalaina, « night butterfly » because it looks like the taking flight of butterflies.

Explications

- Décalquer le modèle.
- Créer le millefeuille.
- Réaliser la trace :
  - Piquer la trace à la machine ou la poser à la main en suivant les contours du dessin avec le fil DMC blanc en double.
  - Installer le millefeuille sur le tombolo.
- Réaliser la guipure avec le fil à dentelle en suivant le patron et la photo du modèle. L'ordre de réalisation des points de guipure est indifférent.
- Réaliser le point de Venise avec le fil à dentelle en suivant le patron et la photo du modèle pour les positionner :
  - les étoiles
  - les petits nœuds
  - les petites roses à picots
  - les petites araignées
  - les picots
- Poser les brodes (relief sur les contours) avec le fil à dentelle en suivant la photo du modèle : au point de surjet pour les reliefs fins, ou au point de feston pour les reliefs plus épais.
- Festonner le contour extérieur avec le fil à dentelle en suivant la photo du modèle.
- Réaliser les ornements avec le fil à dentelle en suivant le patron et la photo du modèle pour les positionner :
  - Petite couronne à pétales au centre de la fleur.
- Détacher la dentelle de son support en coupant au cutter (ou aux ciseaux fins) les fils blancs qui maintiennent la trace sur son support. Retirer les fils blancs (avec une pince à écharde) qui restent accrochés à la dentelle pour qu'elle soit bien nette.

Explanations

- *Transfer the pattern on tracing paper*
- *Prepare the multilayer deck*
- *Prepare the outline (trace):*
  - *Sew the outline trace with a sewing machine or position it by hand using the couching method with DMC thread folded in two*
  - *Position with pins the multilayer deck on the tombolo*
- *Start the guipure stitches with the lace thread*
  - *Fill in the motifs with guipure stitches including sacola, greco, creme et tondo (see photo and diagram of completed project)*
  - *The order in which stitches are made is indifferent*
- *Add Venice point lace with lace thread in the form of small decorated bars which link guipure areas, as indicated on the diagrams and photos*
  - *Bars with small roses with picots*
  - *Bars with stars*
  - *Bars with small knots*
  - *Bars with small spiders*
  - *Picots*
- *Add the raised work on the outline with the lace thread using cordonnet stitch for fine outlines, or buttonhole stitch for thicker outlines (see photo below)*
- *Buttonhole the outside contour (see photo below)*
- *Finally add with the lace thread the decorations (see diagrams for each type of decoration)*
  - *Couronne with petals*
- *Release the lace from the supporting multilayer deck using sharp scissors or blade*
  - *Remove remaining white thread with fine pliers so that the lace is neat.*

Orchidée Étoile
Star orchid

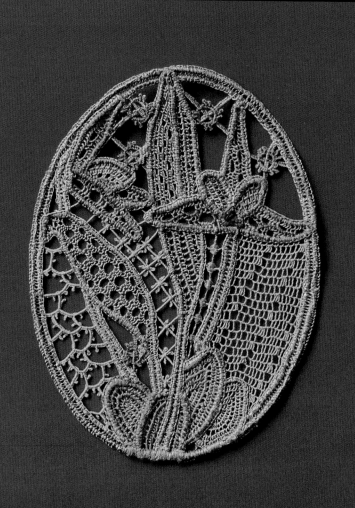

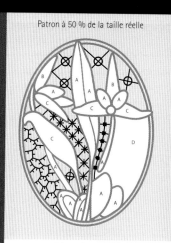

Patron à 50 % de la taille réelle

Légende patron
Caption pattern

Guipure : A = Sacola fin, B = Sacola clair,
C = Tondo, D = Point de Burano
*Guipure : A = Fine sacola, B = Light sacola,
C = Tondo, D = Burano stitch*

Points de Venise :
Venice needlepoint :

 Petit nœud
Small knot

 Étoile
Star

Picot
Picot

 Rosette
Rosette

Matériel

- Fils pour la dentelle : fil « Cocon de calais » Sajou, couleurs au choix *(voir sites en fin de livre)*
- Fil DMC blanc n°40 pour fixer la trace et pour le fil auxiliaire des picots
- Aiguille n°8
- Plastique transparent de couleur si possible
- Papier kraft ou papier blanc usuel
- Tissu en coton pour le dos du millefeuille
- Tombolo (facultatif)

Material

- *Lace floss : Thread « Cocon de calais » Sajou, several choices of colors (see website at end of book)*
- *Thread DMC n°40 for outline design (trace), to stitch the thread in the multilayer deck, and the auxiliary thread for the picots*
- *Needle n°8*
- *Plastic color film*
- *Brown or white paper*
- *Cotton fabric for backing of multilayer deck*
- *Tombolo (optional)*

Points utilisés

- Points de guipure : sacola fin et clair, tondo, point de Burano
- Point de Venise : étoile, picot, rosette, petit nœud

Stitches in the project
(see technical section)

- *Guipure stitches (sacola fine and light, tondo, Burano stitch)*
- *Venice needlepoint Bars with small knots, with stars, with small roses, with rosettes, small spiders, picots*

Explications

- Décalquer le modèle.
- Créer le millefeuille.
- Réaliser la trace :
  - Piquer la trace à la machine ou la poser à la main en suivant les contours du dessin avec le fil DMC blanc en double.
  - Installer le millefeuille sur le tombolo.
- Réaliser la guipure avec le fil à dentelle en suivant le patron et la photo du modèle. L'ordre de réalisation des points de guipure est indifférent.
- Réaliser le point de Venise avec le fil à dentelle en suivant le patron et la photo du modèle pour les positionner :
  - les étoiles
  - les petits nœuds
  - les rosettes
  - les picots
- Poser les brodes (relief sur les contours) avec le fil à dentelle en suivant la photo du modèle : au point de surjet pour les reliefs fins, ou au point de feston pour les reliefs plus épais.
- Festonner le contour extérieur avec le fil à dentelle en suivant la photo du modèle.
- Réaliser les ornements avec le fil à dentelle en suivant le patron et la photo du modèle pour les positionner :
  - Petite couronne à pétales au centre de la fleur.
- Détacher la dentelle de son support en coupant au cutter (ou aux ciseaux fins) les fils blancs qui maintiennent la trace sur son support. Retirer les fils blancs (avec une pince à écharde) qui restent accrochés à la dentelle pour qu'elle soit bien nette.

Explanations

- *Transfer the pattern on tracing paper*
- *Prepare the multilayer deck*
- *Prepare the outline (trace):*
  - *Sew the outline trace with a sewing machine or*
- *position it by hand using the couching method*
- *with DMC thread folded in two*
- *- Position with pins the multilayer deck on the tombolo*
- *Start the guipure stitches with the lace thread*
  - *Fill in the motifs with guipure stitches including sacola, Burano stitch, tondo (see photo and diagram of completed project)*
  - *The order in which stitches are made is indifferent*
- *Add Venice point lace with lace thread in the form of small decorated bars which link guipure areas, as indicated on the diagrams and photos*
  - *Bars with small roses*
  - *Bars with stars*
  - *Bars with small knots*
  - *Picots*
- *Add the raised work on the outline with the lace thread using cordonnet stitch for fine outlines, or buttonhole stitch for thicker outlines (see photo below)*
- *Buttonhole the outside contour (see photo below)*
- *Finally add with the lace thread the decorations (see diagrams for each type of decoration)*
  - *Small couronnes (with picots or with petals)*
- *Release the lace from the supporting multilayer deck using sharp scissors or blade*
  - *Remove remaining white thread with fine pliers so that the lace is neat.*

Venise est un poisson
Venice is a fish

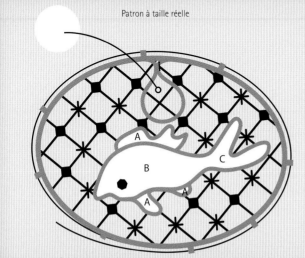

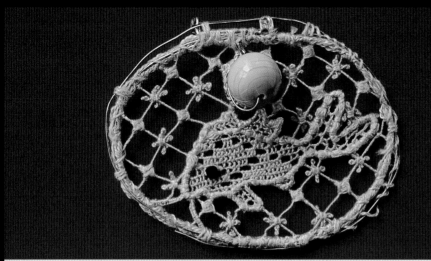

Patron à taille réelle

Légende patron
Caption pattern

Guipure : A = Sacola fin, B = Creme,
C = Greco
*Guipure : A = Fine sacola,
B = Creme, C = Greco*

Points de Venise :
Venice needlepoint :

✕ Petit nœud
Small knot

✳ Etoile
Star

Matériel

- Fils pour la dentelle : fil « Cocon
  de calais » Sajou, couleurs au choix
  (voir sites en fin de livre)
- Fil DMC blanc n°40 pour fixer la trace
  et pour le fil auxiliaire des picots
- Aiguille n°8
- Plastique transparent de couleur si
  possible
- Papier kraft ou papier blanc usuel
- Tissu en coton pour le dos du
  millefeuille
- Tombolo (facultatif)

Material

- *Lace floss : Thread « Cocon de calais »
  Sajou, several choices of colors (see
  website at end of book)*
- *Thread DMC n°40 for outline design
  (trace), to stitch the thread in the
  multilayer deck, and the auxiliary
  thread for the picots*
- *Needle n°8*
- *Plastic color film*
- *Brown or white paper*
- *Cotton fabric for backing of multilayer
  deck*
- *Tombolo (optional)*

Points utilisés

- Points de guipure : sacola fin, greco, creme
- Points de Venise : petit nœud, étoile

Stitches in the project
(see technical section)

- Guipure stitches (sacola fine, greco, creme)
- Venice needlepoint (Bars with small knots, with stars)

Explications

- Décalquer le modèle.
- Créer le millefeuille.
- Réaliser la trace :
  - Piquer la trace à la machine ou la poser à la main en suivant les contours du dessin avec le fil DMC blanc en double.
  - Installer le millefeuille sur le tombolo.
- Réaliser la guipure avec le fil à dentelle en suivant le patron et la photo du modèle. L'ordre de réalisation des points de guipure est indifférent.
- Réaliser le point de Venise avec le fil à dentelle en suivant le patron et la photo du modèle pour les positionner :
  - les étoiles
  - les petits nœuds
- Poser les brodes (relief sur les contours) avec le fil à dentelle en suivant la photo du modèle : au point de surjet pour les reliefs fins, ou au point de feston pour les reliefs plus épais.
- Festonner le contour extérieur avec le fil à dentelle en suivant la photo du modèle.
- Détacher la dentelle de son support en coupant au cutter (ou aux ciseaux fins) les fils blancs qui maintiennent la trace sur son support. Retirer les fils blancs (avec une pince à écharde) qui restent accrochés à la dentelle pour qu'elle soit bien nette.

Explanations

- Prepare the multilayer deck
- Prepare the outline (trace):
  - Sew the outline trace with a sewing machine or position it by hand using the couching method with DMC thread folded in two
  - Position with pins the multilayer deck on the tombolo
- Start the guipure stitches with the lace thread
  - Fill in the motifs with guipure stitches including sacola, greco, creme (see photo and diagram of completed project)
  - The order in which stitches are made is indifferent
- Add Venice point lace with lace thread in the form of small decorated bars which link guipure areas as indicated on the diagrams and photos
  - Bars with stars
  - Bars with small knots
- Add the raised work on the outline with the lace thread using cordonnet stitch for fine outlines, or buttonhole stitch for thicker outlines (see photo below)
- Buttonhole the outside contour (see photo below)
- Release the lace from the supporting multilayer deck using sharp scissors or blade
  - Remove remaining white thread with fine pliers so that the lace is neat.

Feuilles et rosaces
Rosaces and leaves

Patron à taille réelle

Matériel

- Fils pour la dentelle : fil « Cocon de calais » Sajou, couleurs au choix *(voir sites en fin de livre)*

- Fil DMC blanc n°40 pour fixer la trace et pour le fil auxiliaire des picots

- Aiguille n°8

- Plastique transparent de couleur si possible

- Papier kraft ou papier blanc usuel

- Tissu en coton pour le dos du millefeuille

- Tombolo (facultatif)

Material

- *Lace floss : Thread « Cocon de calais » Sajou, several choices of colors (see website at end of book)*

- *Thread DMC n°40 for outline design (trace), to stitch the thread in the multilayer deck, and the auxiliary thread for the picots*

- *Needle n°8*

- *Plastic color film*

- *Brown or white paper*

- *Cotton fabric for backing of multilayer deck*

- *Tombolo (optional)*

Légende patron
Caption pattern

Guipure : A = Sacola fin, B = Tondo
Guipure : A = Fine sacola fin, B = Tondo

Points de Venise :
Venice needlepoint :

Rosette
Rosette

Ornements :
Decorations :

Rosace
Rosace

Picot sur brode
Picots on top of brodes

Points utilisés

- Points de guipure : sacola fin, tondo
- Point de Venise : rosettes
- Ornements : rosaces et picots ajoutés le long de la brode (les mêmes que l'on ajoute sur les brides)

Stitches in the project
(see technical section)

- *Guipure stitches (sacola fine, tondo)*
- *Venice needlepoint (rosettes)*
- *Decoration on top of lace (rosaces and picots on top of brodes)*

Explications

- Décalquer le modèle.
- Créer le millefeuille.
- Réaliser la trace :
  - Piquer la trace à la machine ou la poser à la main en suivant les contours du dessin avec le fil DMC blanc en double.
- Installer le millefeuille sur le tombolo.
- Réaliser la guipure avec le fil à dentelle en suivant le patron et la photo du modèle. L'ordre de réalisation des points de guipure est indifférent.
- Réaliser le point de Venise avec le fil à dentelle en suivant le patron et la photo du modèle pour les positionner :
  - les rosettes
- Poser les brodes (relief sur les contours) avec le fil à dentelle en suivant la photo du modèle : au point de surjet pour les reliefs fins, ou au point de feston pour les reliefs plus épais.
- Festonner le contour extérieur avec le fil à dentelle en suivant la photo du modèle.
- Réaliser les ornements avec le fil à dentelle en suivant le patron et la photo du modèle pour les positionner :
  - Rosaces
  - Picots le long des brodes
- Détacher la dentelle de son support en coupant au cutter (ou aux ciseaux fins) les fils blancs qui maintiennent la trace sur son support. Retirer les fils blancs (avec une pince à écharde) qui restent accrochés à la dentelle pour qu'elle soit bien nette.

Explanations

- *Transfer the pattern on tracing paper*
- *Prepare the multilayer deck*
- *Prepare the outline (trace):*
  - *Sew the outline trace with a sewing machine or position it by hand using the couching method with DMC thread folded in two*
  - *Position with pins the multilayer deck on the tombolo*
- *Start the guipure stitches with the lace thread*
  - *Fill in the motifs with guipure stitches including sacola, tondo (see photo and diagram of completed project)*
  - *The order in which stitches are made is indifferent*
- *Add Venice point lace with lace thread in the form of small decorated bars which link guipure areas, as indicated on the diagrams and photos*
  - *Rosettes*
- *Add the raised work on the outline with the lace thread using cordonnet stitch for fine outlines, or buttonhole stitch for thicker outlines (see photo below)*
- *Buttonhole the outside contour (see photo below)*
- *Finally add with the lace thread the decorations (see diagrams for each type of decoration)*
  - *Rosaces*
  - *Picots on top of brodes*
- *Release the lace from the supporting multilayer deck using sharp scissors or blade*
  - *Remove remaining white thread with fine pliers so that the lace is neat..*

Spirale
Spirale

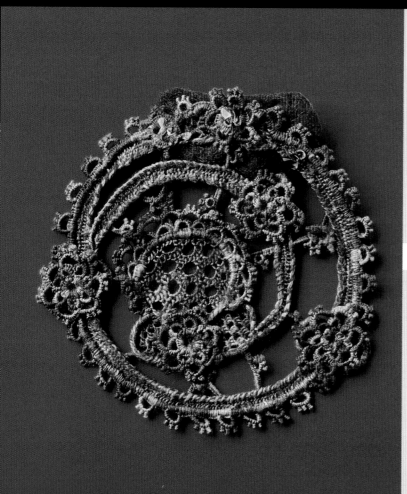

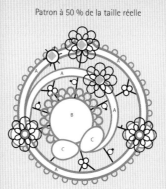

Légende patron
Caption pattern

Guipure : A = Sacola fin, B = Tondo, C = Greco
Guipure : A = Fine sacola, B = Tondo, C = Greco

Points de Venise :
Venice needlepoint :

 Petit arc picoté
small arc with picot

 Bride à 3 branches
Three branc bars

Ornements :
Decorations :

 Rosace
Rosace

Petits arcs picotés
Small arcs with picots

Matériel

- Fils pour la dentelle : fil « Cocon de calais » Sajou, couleurs au choix *(voir sites en fin de livre)*
- Fil DMC blanc n°40 pour trace, pour fixer la trace et pour le fil auxiliaire des picots
- · Aiguille n°8
- Plastique transparent de couleur si possible
- Papier kraft ou papier blanc usuel
- Tissu en coton pour le dos du millefeuille
- Tombolo (facultatif)

Material

- *Lace floss : Thread « Cocon de calais » Sajou, several choices of colors (see website at end of book)*
- *Thread DMC n°40 for outline design (trace), to stitch the thread in the multilayer deck, and the auxiliary thread for the picots*
- *Needle n°8*
- *Plastic color film*
- *Brown or white paper*
- *Cotton fabric for backing of multilayer deck*
- *Tombolo (optional)*

Points utilisés

- Points de guipure : sacola fin, greco, tondo
- Points de Venise : brides à 3 branches, petits arcs picotés (les mêmes que l'on ajoute en décoration sur les brodes, ici on a choisi d'en placer sur les brides)
- Ornements : rosaces, petits arcs picotés.

Stitches in the project
(see technical section)

- *Guipure stitches (sacola fine, greco, tondo)*
- *Venice needlepoint (Bars with 3 branches and small arches with picots)*
- *Decorations on top of lace (rosaces, and small arcs with picots)*

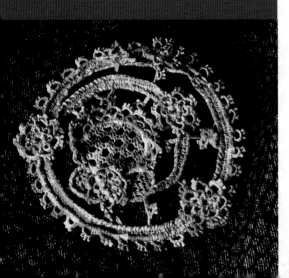

Explications

- Décalquer le modèle.
- Créer le millefeuille.
- Réaliser la trace :
  - Piquer la trace à la machine ou la poser à la main en suivant les contours du dessin avec le fil DMC blanc en double.
  - Installer le millefeuille sur le tombolo.
- Réaliser la guipure avec le fil à dentelle en suivant le patron et la photo du modèle. L'ordre de réalisation des points de guipure est indifférent.
- Réaliser le point de Venise avec le fil à dentelle en suivant le patron et la photo du modèle pour les positionner :
  - Les brides à 3 branches
  - petits arceaux picotés
- Poser les brodes (relief sur les contours) avec le fil à dentelle en suivant la photo du modèle : au point de surjet pour les reliefs fins, ou au point de feston pour les reliefs plus épais.
- Festonner le contour extérieur avec le fil à dentelle en suivant la photo du modèle.
- Réaliser les ornements avec le fil à dentelle en suivant le patron et la photo du modèle pour les positionner :
  - Les rosaces
  - les petits arcs picotés
- Détacher la dentelle de son support en coupant au cutter (ou aux ciseaux fins) les fils blancs qui maintiennent la trace sur son support. Retirer les fils blancs (avec une pince à écharde) qui restent accrochés à la dentelle pour qu'elle soit bien nette.

Explanations

- *Transfer the pattern on tracing paper*
- *Prepare the multilayer deck*
- *Prepare the outline (trace):*
  - *Sew the outline trace with a sewing machine or position it by hand using the couching method with DMC thread folded in two*
  - *Position with pins the multilayer deck on the tombolo*
- *Start the guipure stitches with the lace thread*
  - *Fill in the motifs with guipure stitches including sacola, greco et tondo (see photo and diagram of completed project)*
  - *The order in which stitches are made is indifferent*
- *Add Venice point lace with lace thread in the form of small decorated bars which link guipure areas, as indicated on the diagrams and photos*
  - *Bars with 3 branches*
  - *Arches with picots*
- *Add the raised work on the outline with the lace thread using cordonnet stitch for fine outlines, or buttonhole stitch for thicker outlines (see photo below)*
- *Buttonhole the outside contour (see photo below)*
- *Finally add with the lace thread the decorations (see diagrams for each type of decoration)*
  - *Rosaces*
  - *Small arches with picots*
- *Release the lace from the supporting multilayer deck using sharp scissors or blade*
  - *Remove remaining white thread with fine pliers so that the lace is neat.*

Carnet d'adresses

Musée de la dentelle de Burano
Museo del Merletto - Piazza Galuppi 187, 30142 Burano
Tel. +39 041 730034 - Fax +39 041 735471
museo.merletto@fmcvenezia.it

Achat de dentelles sur Burano
- Dalla Olga – Merletti D'arte, La Buranella - Piazza Galuppi, 105, Burano
  Demander à monter au 3ème étage de la maison car c'est là que se trouvent les dentelles anciennes
- Colore & Collection di Rita, Via San Mauro 453, Burano
- Il y a aussi de nombreux autres magasins qui vendent de belles dentelles faites main : Martina, Lydia, Emilia, et d'autres.

Achat de dentelles en région parisienne
- Marché aux puces Vernaison de Saint-Ouen

Achat de tombolo (coussin à dentelles)
- Cartolibreria Anna - San Mauro 401, Burano
  (Selon disponibilité, il n'est pas toujours possible d'acheter un tombolo, car il est souvent de fabrication « maison »)

Achat de fil et matériel sur Venise
- Roni, San Lio 5784 – Venezia
- Cadres pour mosaïques : Mosaico Byzantino, San Marco 915

Sites internet
- Accessoires pour broches Rolande de Liever, www.rolande-deliever.com
- Fils dentelles du Puy en Velay : www.ladentelledupuy.com
- Aurifil : www.aurifil.com
- Site DMC : www.dmc.fr
- Soies Phenix : *Ne sont plus commercialisées à remplacer par les soies du « Ver à soie » : www.auverasoie.com*
- Fils et mercerie Sajou : www.sajou.fr
- Valdani : www.valdani.com

Magazines de broderie en italien
- Rakam
- Ricamo Italiano
Ces magazines sont intéressants car ils montrent souvent des modèles anciens de dentelle à l'aiguille d'Italie.

Perles
- Antica Murrina Venezia
  Plusieurs magasins sur San Marco et à Burano
- Sur Murano
  Achat de perles en verres en vrac que l'on peut ensuite fixer sur une dentelle

Librairies
- Librairie Française - SS. Giovanni e Paolo, Castello, 6358
- Studium, San Marco 337

Matériel de dessin
- Bottega dell'Arte, San Marco 1756
- Testolini, Calle dei Fabbri, San Marco 4744

Addresses and websites

Lace Museum in Burano
Museo del Merletto - Piazza Galuppi 187, 30142 Burano
Tel. +39 041 730034 - Fax +39 041 735471
museo.merletto@fmcvenezia.it

Lace shops on Burano
- *Dalla Olga – Merletti D'arte, La Buranella - Piazza Galuppi, 105, Burano*
  The upper floor has ancient laces on display and for sale
- *Colore & Collection di Rita, Via San Mauro 453, Burano*
- *Many other lace shops display beautiful hand made lace: Martina, Lydia, Emilia, et d'autres.*

Where to buy ancient lace in Paris
- *Flea market Vernaison in Saint-Ouen*

Where to buy a tombolo (lace cushion)
- *Cartolibreria Anna - San Mauro 401, Burano*
- *(Not always available, may be ordered)*

Where to buy thread and material on Venice
- *Roni, San Lio 5784 – Venezia*
- *Cadres pour mosaïques : Mosaico Byzantino, San Marco 915*

Internet web sites
- *Al Redentore, station Redentore, Gidudecca*
- *Framed brooches Rolande de Liever, www.rolande-deliever.com*
- *Lace threads and material in France: www.ladentelledupuy.com*
- *Aurifil : www.aurifil.com*
- *DMC : www.dmc.fr*
- *Phenix silk : Ne sont plus commercialisées à remplacer par les soies du « Ver à soie » : www.auverasoie.com*
- *Sajou : www.sajou.fr*
- *Valdani : www.valdani.com*

Embroidery magazines in Italian
- *Rakam*
- *Ricamo Italiano*
These magazines are interesting source material because they may provide ancient patterns used for needle lace.

Beads
- *Antica Murrina Venezia*
Many shops in San Marco and Burano
- *On Murano*
Purchase glass beads which may decorate needle lace art.

Librairies
- *French library - SS. Giovanni e Paolo, Castello, 6358*
- *Studium, San Marco 337*

Drawing and design materiel
- *Bottega dell'Arte, San Marco 1756*
- *Testolini, Calle dei Fabbri, San Marco 4744w*

Références

1. Michaux H, dans Henri Michaux Paul Klee, *Fata Morgana, 2012*

2. Levi-Strauss C. La pensée sauvage. *Editeur Plon, 1962*

3. Ceresole Victor, Origines de la Dentelle de Venise,
Projet Guttenberg sur Internet, *Antonelli Editeur, 1878*

4. Poli, Doretta Davanzo, Le musée des dentelles Venise-Burano,
Guide Fondazione Musei Civici Venezia, *Skira Editore, 2011*

5. Poli, Doretta Davanzo, Il merletto Veneziano, *Editions de Agostini, 1998*

6. Carlier de Lantsheere, Trésor de l'art dentellier,
Editions de l'inédite, 2005 réédition de 1922

7. Desmettre Bérengère, La dentelle d'Alençon, *Editions de Saxe, 2012*

8. Masera Laura, La dentelle de Venise, *Editions LTA, 2004*

9. Delesques-Dépalle Brigitte, La dentelle à l'aiguille, *éditions Créer, 2002*

10. Pavan Anna, Il merletto di Burano, *Brevi cenni per capire
ed eseguire la lavorazione*

11. Fouriscot M. Le secret des dentelles Vol.2. *Editions Didier Carpentier, 2000*

12. Griffiths Mark, Orchidées. *Editeur Delachaux et Niestlé, 2006*

13. Cribb P, Tibbs M, The orchid paintings of John Day.
Editeur Thames & Hudson, 2004

References

1. Michaux H, dans Henri Michaux Paul Klee, Fata Morgana, 2012

2. Levi-Strauss C. La pensée sauvage. Editeur Plon, 1962

*3. Ceresole Victor, Origines de la Dentelle de Venise, Projet Guttenberg sur
Internet, Antonelli Editeur, 1878*

*4. Poli, Doretta Davanzo, Le musée des dentelles Venise-Burano,
Guide Fondazione Musei Civici Venezia, Skira Editore, 2011*

5. Poli, Doretta Davanzo, Il merletto Veneziano, Editions de Agostini, 1998

*6. Carlier de Lantsheere, Trésor de l'art dentellier,
Editions de l'inédite, 2005 réédition de 1922*

7. Desmettre Bérengère, La dentelle d'Alençon, Editions de Saxe, 2012

8. Masera Laura, La dentelle de Venise, Editions LTA, 2004

9. Delesques-Dépalle Brigitte, La dentelle à l'aiguille, éditions Créer, 2002

*10. Pavan Anna, Il merletto di Burano, Brevi cenni per capire
ed eseguire la lavorazione*

11. Fouriscot M. Le secret des dentelles Vol.2. Editions Didier Carpentier, 2000

12. Griffiths Mark, Orchidées. Editeur Delachaux et Niestlé, 2006

*13. Cribb P, Tibbs M, The orchid paintings of John Day.
Editeur Thames & Hudson, 2004*

Remerciements

Remerciements aux dentellières de Burano. Mmes Meri, Anna, Olga qui m'ont montré cet art magnifique.

A Max et Thomas pour leur indéfectible soutien.

A mon éditeur sans qui tout ce travail n'aurait pas été possible.

Merci à Alexis, Blandine et Joël

Acknowledgements

Thank you to the Burano lacemakers Ms Meri, Anna, and Olga who showed to me this magnificent art.

To Max and Thomas for their unwavering support.

To my editor without whom this would not have been possible.

Thank you to Alexis, Blandine, and Joël.